V. kov

Maszeńka

przełożyła z rosyjskiego
Eugenia Siemaszkiewicz

posłowiem opatrzył
Leszek Engelking

Warszawskie Wydawnictwo Literackie MUZA SA

Tytuł oryginału: *Maszeńka*
Projekt okładki: *Olga Winiarska*
Redakcja techniczna: *Zbigniew Katafiasz*
Korekta: *Elżbieta Jaroszuk*

Copyright © 1970 by Vladimir Nabokov
All rights reserved, including the right of reproduction
in whole or in part. This edition published by
arrangement with the Estate of Vladimir Nabokov
© for the Polish edition by MUZA SA, Warszawa 2004
© for the Polish translation by Eugenia Siemaszkiewicz

ISBN 83-7319-598-X

Warszawskie Wydawnictwo Literackie
MUZA SA
Warszawa 2004

Żonie mojej poświęcam

... Wspomniawszy dawnych lat przygody,
Wspomniawszy wiek miłości młodej...[*]

Puszkin

---

[*] *Eugeniusz Oniegin*, przeł. Adam Ważyk.

1

– Lew Glewo... Lew Glebowicz? Cóż za imię ma pan, mój kochany, można sobie język połamać...

– Można – dość oziębłe przytwierdził Ganin, usiłując w niespodziewanych ciemnościach dojrzeć twarz rozmówcy. Irytowała go głupia sytuacja, w jakiej obaj się znaleźli, i wymuszona przez okoliczności rozmowa z nieznajomym.

– Nie bez powodu zapytałem o pańskie imię – ciągnął beztrosko głos. – Każde imię, moim zdaniem...

– Pozwoli pan, że jeszcze raz przycisnę guzik – przerwał mu Ganin.

– Proszę bardzo. Ale to chyba nie pomoże. A więc: każde imię zobowiązuje. Lew i Gleb to skomplikowane, rzadko spotykane połączenie. Narzuca ono panu oschłość, stanowczość, oryginalność. Moje imię jest skromniejsze, a żona ma imię całkiem zwyczajne: Maria. A propos, proszę pozwolić, że się przedstawię: Aleksiej Iwanowicz Alfierow. Przepraszam, zdaje się, że nadepnąłem panu na nogę...

– Bardzo mi miło – powiedział Ganin, odszukując w ciemności dłoń, godzącą w jego klapy. – Jak pan sądzi,

7

czy długo jeszcze będziemy tu tkwić? Czas już coś zrobić. Do diabła...

– Usiądźmy sobie na ławce i poczekajmy – rozległ się znów tuż nad jego uchem energiczny i natrętny głos. – Wczoraj, kiedy przyjechałem, spotkaliśmy się na korytarzu. Wieczorem usłyszałem zza ściany, że pan pokasłuje, i od razu po brzmieniu kaszlu poznałem – rodak. Czy od dawna mieszka pan w tym pensjonacie?

– Od dawna. Ma pan może zapałki?

– Nie mam. Nie palę. Pensjonat jest dość brudny – choć przecież rosyjski. Spotkało mnie, proszę pana, wielkie szczęście: z Rosji przyjeżdża do mnie żona. Cztery lata – to nie żarty... Taa-ak. Już niedługo. Dziś mamy niedzielę.

– Ale ciemności... – powiedział Ganin, z chrzęstem wyłamując sobie palce. – Ciekawe, która to godzina...

Alfierow westchnął głośno; wionął od niego ciepły, mdły zapaszek niezbyt zdrowego i niemłodego już mężczyzny. W takim zapaszku jest pewien smutek.

– A więc – zostało sześć dni. Przypuszczam, że przyjedzie w sobotę. Wczoraj dostałem od niej list. Bardzo zabawnie go zaadresowała. Szkoda, że jest tak ciemno, bobym panu pokazał. Co pan tam wymacuje, drogi panie? Te okienka się nie otwierają.

– Chętnie bym je stłukł – powiedział Ganin.

– Niech pan da temu pokój, Lwie Glebowiczu, może zagramy tymczasem w jakąś *petit jeu*? Znam wprost znakomite, sam je układam. Proszę na przykład pomyśleć jakąś dwucyfrową liczbę. Gotów pan?

– Proszę mi to łaskawie darować – powiedział Ganin i po dwakroć załomotał pięścią w ścianę.

– Portier od dawna śpi – wypłynął głos Alfierowa – wali więc pan w ścianę na próżno.

8

– Zgodzi się pan jednak, że nie możemy tkwić tu przez całą noc.

– Na to się chyba zanosi. Czy nie sądzi pan, panie Glebie, że w naszym spotkaniu jest coś symbolicznego? Kiedy byliśmy jeszcze na „stałym lądzie", nie znaliśmy się nawzajem, no i tak się złożyło, że wróciliśmy do domu o tej samej godzinie i weszliśmy razem do tego przybytku. A propos – podłoga jest tu bardzo cienka. A pod nią czarna studnia. No więc, powiadam: weszliśmy tu w milczeniu, jeszcze się nie znając, w milczeniu unieśliśmy się w górę i nagle – stop. I stała się ciemność.

– Co w tym symbolicznego? – chmurnie zapytał Ganin.

– Zatrzymanie, unieruchomienie, te ciemności. No i czekanie. Dziś przy obiedzie ten, jak mu tam... stary pisarz... Ach tak, Podtiagin... dyskutował ze mną o sensie naszego emigracyjnego życia, naszego wielkiego czekania. Czy pan, panie Lwie, nie jadł tu dziś obiadu?

– Nie. Byłem za miastem.

– Jest wiosna. Pewnie było przyjemnie.

Głos Alfierowa zanikł na chwilę i gdy znów się odnalazł, był niemile śpiewny, bo Alfierow najpewniej uśmiechał się:

– O, kiedy przyjedzie żona, też wybiorę się z nią za miasto. Ona uwielbia spacery. Gospodyni powiedziała mi, że pan w sobotę zwalnia pokój?

– Tak jest – oschle odpowiedział Ganin.

– Czy wyjeżdża pan w ogóle z Berlina?

Ganin skinął głową, zapominając, że w ciemności tego nie widać. Alfierow wiercił się przez chwilę na ławce, westchnął raz czy dwa, a potem zaczął cicho pogwizdywać, co brzmiało, jakby sypał się cukier. To milkł, to znów gwizdał. Upłynęło około dziesięciu minut; nagle coś w górze szczęknęło.

– To już lepiej – uśmiechnął się Ganin.

W tej właśnie chwili rozbłysła żarówka i klatkę windy, całą nagle roztętnioną, wzbijającą się ku górze, wypełniło żółte światło. Ałfierow zamrugał, jakby się nagle obudził. Miał na sobie starą, obszerną, piaskowego koloru jesionkę, w ręku trzymał melonik. Jasne, rzadkie włosy były nieco rozwichrzone, a w jego rysach, w blond bródce, w pochyleniu chudej szyi, kiedy ściągał z niej kolorowy szalik, było coś z ludowego jarmarcznego obrazka, coś z ewangelicznej słodyczki.

Winda chybotliwie zaczepiła o próg czwartego podestu i zatrzymała się.

– Cuda-niewidy – rozpromienił się Ałfierow, otwierając drzwi. – Myślałem, że to ktoś z góry nas podciągnął, a tymczasem nie ma tu nikogo. Proszę, panie Lwie, ja za panem.

Ganin jednak skrzywił się i popchnął go lekko, a potem, wysiadłszy sam, trzasnął ze złością żelaznymi drzwiami. Nigdy przedtem tak łatwo nie wpadał w złość.

– Cuda-niewidy – powtarzał Ałfierow. – Wjechaliśmy na górę, a tu nie ma nikogo. To, proszę pana, też symbol...

2

Był to pensjonat rosyjski, w dodatku nieprzyjemny. Nieprzyjemne było przede wszystkim to, że przez cały boży dzień i kawał nocy słychać było pociągi kolei miejskiej i wydawało się, że cały dom powoli dokądś jedzie. Przedpokój, gdzie wisiało ciemne lustro z półeczką na rękawiczki i stał dębowy kufer, o który łatwo było uderzyć kolanem, zwężał się, przechodząc w nagi, bardzo ciemny korytarz. Miał on po każdej stronie trzy pokoje z dużymi czarnymi cyframi naklejonymi na drzwiach. Były to po prostu kartki wydarte ze starego kalendarza – sześć pierwszych dni kwietnia. W pokoju pierwszokwietniowym – pierwsze drzwi na lewo – mieszkał teraz Alfierow, w następnym – Ganin, w trójce – sama gospodyni, pani Lidia Dorn, wdowa po niemieckim kupcu, który lat temu chyba dwadzieścia przywiózł ją z Sarepty, a w pozaprzeszłym roku zmarł na zapalenie opon mózgowych. W trzech numerach po prawej – od czwartego po szósty kwietnia – mieszkali: stary rosyjski poeta Antoni Siergiejewicz Podtiagin, Klara – panna o dużych piersiach i cudownych błękitno-brązowych oczach i wreszcie – w szóstce, na zakręcie korytarza – baletowi tancerze Kolin i Gornocwietow, obaj

11

po kobiecemu skorzy do śmiechu i szczupli, o przypudrowanych nosach i umięśnionych łydkach. W końcu pierwszej części korytarza znajdowała się jadalnia z litografowaną *Ostatnią Wieczerzą* na ścianie przeciwległej do drzwi i z rogatymi żółtymi czaszkami jeleni – na drugiej, nad brzuchatym kredensem, gdzie ustawiono dwa kryształowe wazony, niegdyś najczystsze przedmioty w całym mieszkaniu, teraz zmatowiałe od puszystego kurzu. Korytarz, doprowadziwszy do jadalni, skręcał pod kątem prostym na prawo: dalej, w tragicznym i smrodliwym mateczniku, znajdowały się: kuchnia, izdebka służącej, brudna łazienka i celka klozetu, na jego drzwiach zaś wisiały dwa pąsowe zera pozbawione przynależnych im dziesiątek, z którymi niegdyś w kalendarzu stojącym na biurku pana Dorna stanowiły dwie różne niedziele. W miesiąc po jego śmierci pani Lidia, osoba drobna, głuchawa i niepozbawiona dziwactw, wynajęła puste mieszkanie i urządziła tam pensjonat, wykazując przy tym niezwykłą, zastraszającą nieco pomysłowość w rozdzielaniu niewielu odziedziczonych sprzętów. Stoły, krzesła, skrzypiące szafy i wyboiste kanapki rozeszły się po pokojach, które zamierzała wynajmować, i rozstawszy się ze sobą, od razu zszarzały, zaczęły wyglądać smutno i bezsensownie, niczym kości rozparcelowanego szkieletu. Biurko nieboszczyka, dębowy masyw z metalowym kałamarzem w kształcie ropuchy i głęboką jak luk okrętowy środkową szufladą, znalazło się w numerze pierwszym, gdzie mieszkał Ałfierow, a kręcony taboret, kupiony niegdyś razem z biurkiem, odszedł, osierociały, do tancerzy mieszkających pod szóstką. Stadło zielonych foteli też się rozłączyło: jeden nudził się u Ganina, na drugim zaś siadywała sama gospodyni albo jej stara jamniczka, czarna, tłusta suka o siwym pyszczku i obwisłych uszach, których koniuszki były aksamitne niczym motyli pyłek. Na półce zaś w pokoju Klary stało dla ozdoby kilka pierwszych tomów encyklopedii, której reszta trafiła do Podtiagina. Klarze przypadła też jedyna porządna umywalka z lustrem i szufladami; w pozostałych pokojach znajdowały się po prostu krzepkie szafki, a na każdej z nich metalowa miednica i takiż dzbanek. Łóżek jednak trzeba było dokupić, co pani Dorn uczyniła z ciężkim sercem nie dlatego, aby była skąpa, ale dlatego, że znajdowała jakąś rozkosz hazardu i powód do gospodarskiej dumy w sposobie rozmieszczenia całego poprzedniego umeblowania, i drażniło ją, że nie można przepiłować na odpowiednio wiele części małżeńskiego łoża, które w jej wdowieństwie było za rozległe. Pokoje sprzątała sama, i to byle jak, gotować zaś nie umiała wcale i trzymała kucharkę – postrach targowiska, olbrzymie rude babsko, które co piątek nakładało malinowy kapelusz i toczyło się do północnych dzielnic, ażeby kupczyć tam swoją ponętną tuszą. Pani Lidia bała się wchodzić do kuchni i była w ogóle osobą cichą i strachliwą. Kiedy przebierając wałkowatymi nóżkami, przebiegała przez korytarz, lokatorom wydawało się, że ta drobna kobieta o zadartym nosie jest nie gospodynią, lecz po prostu ogłupiałą staruszką, która trafiła do cudzego mieszkania. Kiedy rano szybko wymiatała szczotką kurz spod mebli, zginała się niczym szmaciana lalka, a potem znikała w swoim pokoju, najmniejszym ze wszystkich, i tam czytała jakieś wystrzępione niemieckie książczyny albo też przeglądała papiery nieboszczyka męża, z których nic nie rozumiała. Do pokoju tego zachodził tylko Podtiagin, głaszcząc czarną przymilną jamniczkę, skubał jej uszy i brodawkę na siwym pyszczku, próbował skłonić suczkę, by podała mu krzywą łapę, i opowiadał pani Lidii o swej starczej, udręczającej chorobie i o tym, że już od dawna, od pół roku, stara się o wizę do Paryża, gdzie mieszka jego siostrzenica i gdzie bardzo tanie są długie chrupiące bułki i czerwone wino. Staruszka kiwała głową, czasami wypytywała go o innych lokatorów, zwłaszcza o Ganina, który wydawał się jej niepodobny do żadnego z młodych Rosjan – mieszkańców jej pensjonatu. Ganin, przemieszkawszy u niej trzy miesiące, zamierzał się wyprowadzić, oświadczył nawet, że w najbliższą sobotę zwolni pokój, ale postanawiał to już kilkakrotnie, a później wszystko odkładał i decydował inaczej. Pani Lidia wiedziała od starego łagodnego poety, że Ganin ma przyjaciółkę. W tym właśnie był cały kłopot.

Ganin stał się ostatnio apatyczny i ponury. Jeszcze do niedawna potrafił chodzić na rękach nie gorzej niż japońscy akrobaci, zgrabnie unosząc w górę nogi i poruszając się niby żagiel, podnosić zębami krzesło i rozrywać sznur na twardym bicepsie. W jego ciele nieustannie buzował ogień – chętka przeskoczenia przez płot, rozhuśtania słupa, słowem – wycięcia jakiegoś numeru, jak mawialiśmy w młodości. Teraz jednak obluzowała się w nim jakaś śrubka, zaczął się nawet garbić i sam przyznawał się Podtiaginowi, że – „zupełnie jak baba" – cierpi na bezsenność. Źle spał również tej nocy z niedzieli na poniedziałek, po dwudziestu minutach spędzonych z bezceremonialnym jegomościem w uwięzłej windzie. W poniedziałek rano długi czas przesiedział nago, zaplótłszy między kolanami wyciągnięte chłodne dłonie, oszołomiony myślą, że i dziś także trzeba włożyć koszulę, skarpetki, spodnie – całe to przesycone potem i kurzem paskudztwo – i myślał o cyrkowym pudlu, wyglądającym w ludzkim przebraniu tak żałośnie, że aż ogarnia zgroza i zbiera się na mdłości. To zniechęcenie brało się po części z nieróbstwa. Nie musiał teraz zbyt wiele pracować, gdyż przez zimę zaoszczędził pewną sumę, z której zresztą zostało nie więcej niż dwieście marek: trzy ostatnie miesiące kosztowały go dość drogo.

W ubiegłym roku, po przyjeździe do Berlina, od razu znalazł pracę i potem pracował aż do stycznia – dużo i rozmaicie: poznał żółtą ciemność wczesnej godziny, o której jedzie się do fabryki; wiedział też, jak bolą nogi, gdy przebędzie się dziesięć krętych wiorst z talerzami w rękach między stolikami w restauracji „Pir Goroj"*; znał też i inne zajęcia, brał w komis wszystko, co popadło: i obwarzanki, i brylantynę, i po prostu brylanty. Niczym nie gardził: niejednokrotnie też, jak wielu z nas, sprzedawał własny cień. Innymi słowy, jeździł jako statysta na zdjęcia za miasto, gdzie w jarmarcznej szopie z mistycznym piskiem wypełniały się wrzącym światłem dziwaczne czasze reflektorów wycelowanych, niczym armaty, na trupio jaskrawą grupę statystów, bijąc prosto w oczy morderczym białym blaskiem, oświetlając malowany wosk zastygłych rysów, potem wydawały trzask i gasły, ale długo jeszcze w tych skomplikowanych szkłach dopalały się czerwone zorze – ludzki wstyd. Transakcja została dokonana i nasze bezimienne cienie puszczone na cztery wiatry.

Pieniędzy zostało tyle, że starczyłoby na wyjazd z Berlina. Żeby to jednak zrobić, trzeba było zerwać z Ludmiłą, a jak zerwać – nie wiedział. I choć wyznaczył sobie termin – za tydzień – oznajmiając właścicielce, że zdecydował się ostatecznie wyprowadzić w sobotę, czuł, że ani ten tydzień, ani następny niczego nie zmieni. Tymczasem tęsknota do nowej obczyzny najostrzej doskwierała mu właśnie na wiosnę. Okno jego wychodziło na tory kolejowe i dlatego właśnie możliwość wyjazdu nęciła nieustannie. Co pięć minut dom zaczynał dygotać od rytmicznego łoskotu, potem przed

---

* *Pir goroj* – po ros. uczta na całego (przyp. tłum.).

oknem wybrzuszał się masyw dymu, przesłaniając biały berliński dzień i rozpływając się powoli, a wtedy znów stawał się widoczny wachlarz torów zwężających się w oddaleniu pomiędzy czarnymi tylnymi ścianami jakby ściętych domów, nad wszystkim zaś trwało niebo blade niby mleko migdałowe.

Ganinowi byłoby łatwiej, gdyby mieszkał po drugiej stronie korytarza w pokoju Podtiagina, Klary albo tancerzy: okna wychodziły tam na nieciekawą ulicę, w poprzek której zawisł wiadukt kolejowy, ale gdzie nie było za to bladej, wabiącej dali. Ten wiadukt stanowił przedłużenie torów widocznych z okna Ganina i Ganin nigdy nie mógł pozbyć się wrażenia, że każdy pociąg niewidzialnie przechodzi przez masyw samego domu: oto wjechał z tamtej strony, jego widmowy łoskot rozkołysuje mur, zrywami sunie przez stary dywan, trąca szklankę na umywalce, aż wreszcie z zimnym podzwanianiem wyjeżdża przez okno, za szybą wyrasta natychmiast chmura dymu, opada i od razu widać pociąg kolei miejskiej wypchnięty z wnętrza domu: bladooliwkowe wagony, ich dachy o sutkach ciemnych jak u suki i kusy, przyczepiony odwrotną stroną parowóz, który szybko cofa się, odciąga wagony w białą dal między ślepymi ścianami, gdzie czerń sadzy złuszczyła się miejscami, a tu i ówdzie jaskrawi się freskami zastarzałych reklam. Tak właśnie, w kolejowym przeciągu, żył cały ten dom.

„Wyjechać" – marząco przeciągał się Ganin i od razu się potykał o przeszkodę: a co zrobić z Ludmiłą? Śmieszyło go, że tak się rozkleił. Dawniej, kiedy chodził na rękach albo skakał przez pięć krzeseł, umiał nie tylko powodować własną wolą, ale bawić się nią. Czasami ją ćwiczył, zmuszając się na przykład do tego, by w nocy wstać z łóżka, wyjść na ulicę i wrzucić do skrzynki pocztowej niedopałek papierosa. A teraz nie mógł zdobyć się na to, aby powiedzieć kobiecie, że już jej nie kocha. Onegdaj przesiedziała u niego pięć godzin, wczoraj, w niedzielę, spędził z nią cały dzień nad jeziorami pod Berlinem, bo nie był zdolny odmówić jej tej kretyńskiej wycieczki. Wszystko w Ludmile było mu teraz wstrętne: żółte, modnie ostrzyżone, nastroszone kosmyki, z tyłu na wąskim karku dwa pasemka niewygolonych ciemnych włosków, melancholijna mroczność powiek, a przede wszystkim – wargi, umalowane do fioletowego połysku. Czuł wstręt i smutek, kiedy ubierając się po zwarciu mechanicznej miłości, mrużyła oczy, przez co stawały się nieprzyjemnie kosmate, i mówiła: „Wiesz, jestem tak wrażliwa, że od razu zauważę, kiedy zaczniesz mnie kochać mniej". Ganin nie odpowiadał, odwracał się do okna, gdzie wyrastał biały mur dymu, a wtedy ona śmiała się przez nos i zgłuszonym szeptem przyzywała: „No, chodź tutaj...". Miał wówczas ochotę zapleść ręce, tak żeby słodko i tęsknie zachrzęściły stawy, i spokojnie powiedzieć: „Zabieraj się stąd i do widzenia". Zamiast tego uśmiechał się i pochylał nad nią. Ostrymi, jakby fałszywymi paznokciami błądziła po jego piersi i wydymając wargi, mrugała smolistymi rzęsami, robiąc z siebie – jak się jej zdawało – skrzywdzoną dziewczynkę, kapryśną markizę. Czuł zapach jej perfum, w którym było coś niechlujnego, nieświeżego i podstarzałego, choć miała zaledwie dwadzieścia pięć lat. Dotykał wargami jej małego, ciepłego czoła, a wtedy zapominała o wszystkim – o swoim kłamstwie, które jak zapach perfum ciągnęła wszędzie za sobą, o fałszu dziecinnych zdrobnień, wyszukanych uczuć, jakichś orchidei, które rzekomo uwielbiała, różnych Baudelaire'ów i Poe'ów, których nigdy nie czytała, zapominała o wszystkim, czym chciała kokietować – i o modnej żółciźnie włosów, i o ciemnym pudrze, i o jedwabnych pończochach koloru prosięcia – i całym swym słabym, żałosnym, niepotrzebnym mu ciałem przywierała do Ganina z odchyloną do tyłu głową.

W żałości i wstydzie uzmysławiał sobie, jak bezmyślna czułość – smutne ciepło pozostałe tam, gdzie bardzo przelotnie błysnęła kiedyś miłość – każe mu przywierać bez namiętności do purpurowej gumy jej uległych warg, ale czułość ta nie zagłuszała spokojnego, drwiącego głosu, który podpowiadał: „A gdyby tak ją teraz odepchnąć?".

Westchnąwszy, patrzył ze spokojnym uśmiechem na uniesioną twarz Ludmiły i nie potrafił jej nic odpowiedzieć, kiedy uczepiona jego ramion, jakimś polotnym głosem – a nie nosowym szeptem – błagała, cała ulatując w słowa. „Powiedz mi wreszcie, kochasz mnie?". Dostrzegłszy jednak coś w jego twarzy – znajomy cień, mimowiedną surowość – znów przypominała sobie, że powinna czarować – wrażliwością, perfumami, poezją, i znów zaczynała udawać, to nieszczęśliwą dziewczynkę, to wyrafinowaną kurtyzanę. Ganina zaś znów ogarniała nuda, zaczynał chodzić po pokoju od okna do drzwi i z powrotem, ziewając do łez, a ona, włożywszy kapelusz, z ukosa obserwowała go w lustrze.

Klara, bardzo swojska panna o pełnych piersiach, cała w czarnych jedwabiach, wiedziała, że jej przyjaciółka bywa u Ganina, i czuła się głupio i niezręcznie, gdy ta opowiadała jej o swojej miłości. Klarze wydawało się, że uczucia te powinny być spokojniejsze, bez irysów i łkania skrzypiec. O wiele bardziej nieznośne było jednak, gdy przyjaciółka, mrużąc oczy i wypuszczając przez nozdrza kółka dymu z papierosa, zaczynała opowiadać jej o niewystygłych jeszcze, przerażająco konkretnych szczegółach, co sprawiało, że Klara miewała potem makabryczne i zawstydzające sny. Ostatnio unikała Ludmiły z obawy, że przyjaciółka ostatecznie zniweczy coś wielkiego i zawsze odświętnego, co zawiera się w ślicznym słowie „marzenie". Nieco wyniosła, ostro rzeźbiona twarz Ganina, jego szare oczy z połyskliwymi igiełkami rozchodzącymi się od wyjątkowo dużych źrenic, gęste, bardzo ciemne brwi, tworzące, gdy się chmurzył albo uważnie czemuś przysłuchiwał, jedną zwartą czarną krechę, rozwierającą się jednak jak lekkie skrzydła, gdy rzadki uśmiech odsłaniał na chwilę jego wspaniałe, białe, wilgotne zęby – te wyraziste rysy tak podobały się Klarze, że w jego obecności traciła kontenans, mówiła nie tak, jakby pragnęła, dotykając nieustannie kasztanowej fali włosów, do połowy osłaniających ucho, albo też poprawiała na piersi czarne pliski, wysuwając przy tym dolną wargę i pozwalając zarysować się drugiemu podbródkowi. Z Ganinem zresztą spotykała się rzadko, raz dziennie, przy obiedzie, i tylko raz była z nim i z Ludmiłą na kolacji w podrzędnej piwiarni, gdzie on wieczorami jadał parówki z kapustą albo wieprzowinę na zimno. Przy obiedzie, w przygnębiającej jadalni pensjonatu, siedziała naprzeciw Ganina, gdyż gospodyni rozmieściła swych lokatorów mniej więcej wedle usytuowania ich pokojów: tak więc Klara siedziała między Podtiaginem a Gornocwietowem, Ganin zaś między Ałfierowem a Kolinem. Mała, czarna, melancholijnie sztywna postać pani Dorn w końcu stołu, pomiędzy zwróconymi ku sobie wzajem profilem upudrowanymi, minoderyjnymi tancerzami, którzy z jakimś ptasim wyrazem twarzy i niesłychanie szybko wymawiając słowa, zagadywali do niej – wydawała się bezsensowna, żałosna i zagubiona. Pani Dorn mówiła mało, skrępowana swoją lekką głuchotą, i tylko dawała baczenie, żeby olbrzymka Erika przez cały czas przynosiła i odnosiła talerze. Raz po raz więc jej malutka, pomarszczona dłoń wzlatywała ku wiszącemu dzwonkowi i błysnąwszy wyblakłą żółcizną, opadała.

Gdy w poniedziałek około wpół do trzeciej Ganin wszedł do jadalni, wszyscy siedzieli już przy stole. Ałfierow uśmiechnął się do niego życzliwie, nawet uniósł się z miejsca, Ganin jednak nie podał mu ręki, i skinąwszy głową w milczeniu, zajął miejsce obok niego, zawczasu przeklinając natrętnego sąsiada. Podtiagin, schludny, skromny starzec, który nie jadł, lecz spożywał, głośno wsysając zupę i przytrzymując lewą dłonią zatkniętą za kołnierz serwetkę, spojrzał znad szkieł pince-nez na Ganina, a potem z niewyraźnym westchnieniem znów zabrał się do jedzenia. Ganin w przypływie szczerości opowiedział mu kiedyś o uciążliwej miłości Ludmiły i teraz żałował tego. Kolin, jego sąsiad z lewej, podał mu z trwożną ostrożnością talerz zupy i spojrzał przy tym tak przymilnie, tak uśmiechnęły się jego dziwne przymglone oczy, że Ganin poczuł się niezręcznie. Tymczasem od prawej dobiegał już naoliwiony tenorek Alfierowa, oponującego przeciw czemuś, co powiedział siedzący naprzeciwko niego Podtiagin.

– Gruba przesada, panie Antoni. To niezwykle kulturalny kraj. Nasz się do niego nawet nie umywa.

Podtiagin błysnął łagodnie szkłami pince-nez i zwrócił się do Ganina:

– Proszę mi pogratulować, przysłali mi dziś wizę. Teraz nic tylko przyjąć wstęgę orderu i złożyć wizytę prezydentowi.

Miał niezwykle przyjemny głos, bez wysokich tonów, o spokojnym, miękkim, matowym brzmieniu. Pełną, gładką twarz, z siwą szczecinką tuż pod dolną wargą i wystającym podbródkiem, pokrywała jakby czerwonawa opalenizna, a od jasnych, mądrych oczu rozchodziły się życzliwe zmarszczki. Z profilu podobny był do dużej, posiwiałej morskiej świnki.

– Bardzo się cieszę – powiedział Ganin. – Kiedy pan wyjeżdża?

Alfierow jednak nie dopuścił starszego pana do głosu i ciągnął dalej, z nawyku szarpiąc co chwila chudą, porośniętą złotawymi włoskami szyję o ruchliwej, wydatnej grdyce:

– Radzę panu zostać tutaj. Czy tu jest źle? To jest, by tak rzec, linia prosta. Paryż to raczej zygzak, a nasza Rosja to zupełny zawijas. Bardzo mi się tu podoba; można pracować i po ulicach chodzi się z przyjemnością. Dowiodę panu matematycznie, że jeśli już człowiek musi gdzieś się osiedlić...

– Przecież właśnie mówię panu – łagodnie przerwał Podtiagin – stosy papierów, trumny z tektury, teczki, teczki w nieskończoność! Półki się pod nimi uginają. Zanim urzędnik policji odnalazł moje nazwisko, o mało nie padł z wysiłku. Nie możecie sobie państwo w ogóle wyobrazić (przy słowach „w ogóle wyobrazić" Podtiagin ciężko i z żałością pokręcił głową), ile trzeba się namordować, żeby otrzymać prawo wyjazdu stąd. Ileż ja wypełniłem blankietów! Dziś myślałem, że przystawią mi wreszcie pieczątkę – proszę, wiza wyjazdowa... Gdzież tam... Kazali mi się sfotografować, a zdjęcia będą gotowe dopiero wieczorem.

– Wszystko jest jak należy – pokiwał głową Alfierow – tak właśnie powinno być w przyzwoitym państwie. To nie to, co rosyjski bałagan. Czy zwróciliście na przykład uwagę, co jest napisane na frontowych drzwiach: *„Nur für Damen und Herren"*. To znamienne. I w ogóle, różnicę między, powiedzmy, naszym krajem a tym można określić tak: proszę najpierw wyobrazić sobie krzywą, a na niej...

Ganin, nie słuchając dalszego ciągu, zwrócił się do siedzącej naprzeciw niego Klary:

– Pani Ludmiła prosiła mnie o powtórzenie, żeby zadzwoniła pani do niej po powrocie z biura. Zdaje się, że chodzi o kino.

Klara w zakłopotaniu pomyślała: „Jak on może mówić o niej tak zwyczajnie... Przecież wie, że ja wiem...".

Zapytała dla przyzwoitości:

– Ach, więc widział się pan z nią wczoraj?

21

Ganin ze zdziwieniem poruszył brwiami i nie przerwał jedzenia.

– Niezupełnie rozumiem pańską geometrię – cicho mówił Podtiagin, ostrożnie zgarniając nożykiem okruchy na własną dłoń. Jak większość starzejących się poetów, skłaniał się ku prostej ludzkiej logice.

– Ale to przecież zupełnie oczywiste – obruszył się Ałfierow. – Proszę sobie wyobrazić...

– Nie rozumiem – stanowczo powtórzył Podtiagin i odchyliwszy lekko głowę do tyłu, wsypał sobie do ust zgarnięte okruchy. Ałfierow gwałtownym ruchem rozłożył ręce i przewrócił szklankę Ganina.

– Och, przepraszam!...

– Jest pusta – powiedział Ganin.

– Nie jest pan matematykiem, panie Antoni – pośpiesznie ciągnął Ałfierow. – A ja przez całe życie huśtałem się na liczydłach jak na huśtawce. Mawiałem czasem do żony: jestem matematykiem, a więc ty jesteś mat'-i-maczecha...*

Gornocwietow i Kolin wybuchnęli piskliwym śmiechem. Pani Dorn wzdrygnęła się i z obawą spojrzała na obydwóch.

– Słowem: kwitek i kwiatek – oziębłe zażartował Ganin.

Tylko Klara uśmiechnęła się. Ganin zaczął nalewać sobie wody; wszyscy patrzyli, jak to robi.

– Tak, ma pan rację, niezwykle delikatny kwiatek – wyrzekł przeciągle Ałfierow, obrzucając sąsiada roztargnionym spojrzeniem błyszczących oczu.

– To prawdziwy cud, że ona przeżyła te lata potworności. Jestem pewien, że przyjedzie tu kwitnąca, wesoła... Pan jest poetą, panie Antoni, niech więc pan opisze, jak kobiecość, cudowna rosyjska kobiecość, mocniejsza jest

---

* „Matką i macochą" – w języku rosyjskim gra słów (przyp. tłum.).

od wszelkiej rewolucji, zdolna jest przetrwać wszystko – niedole, terror...

Kolin szepnął do Ganina:

– Znowu zaczyna... Wczoraj nie mówił o niczym, tylko o żonie...

„Co za pospolitak – pomyślał Ganin, spoglądając na poruszającą się bródkę Ałfierowa: – Z żony też pewnie spryciara... Nie zdradzać takiego to po prostu grzech...".

– Dziś mamy jagnię – oznajmiła nagle pani Lidia drewnianym głosikiem, obserwując chmurnie, jak jej lokatorzy bez szczególnego nabożeństwa pochłaniają pieczyste. Ałfierow skłonił się nie wiedzieć czemu i ciągnął:

– Powinien pan, mój drogi, podjąć ten temat. (Podtiagin łagodnie, ale stanowczo kręcił głową). Może kiedy zobaczy pan moją żonę, zrozumie pan, co chcę powiedzieć... Ona zresztą bardzo lubiła poezję. Dogadacie się. Powiem panu jeszcze...

Kolin ukradkiem wybijał takt, z ukosa zerkając na Ałfierowa. Gornocwietow, spoglądając na palec swego przyjaciela, zaśmiewał się cicho.

– A co najważniejsze – trajkotał Ałfierow – Rosja przecież jest już skończona. Starto ją, jakby kto wilgotną gąbką przejechał po czarnej tablicy, po narysowanej tam gębie...

– Coś takiego... – powiedział z uśmiechem Ganin.

– Przykro panu tego słuchać, panie Lwie?

– Przykro, ale nie przeszkadzam, panie Aleksieju.

– Cóż, może uważa pan wobec tego, że...

– Ależ panowie – przerwał Podtiagin matowym głosem, lekko sepleniąc – dajmy spokój polityce. Po co politykować?

– A jednak monsieur Ałfierow nie ma racji – niespodziewanie wtrąciła Klara, szybkim ruchem poprawiając fryzurę.

– Czy pańska żona przyjeżdża w sobotę? – niewinnym tonem zapytał Kolin przez cały stół, a Gornocwietow parsknął, zasłaniając usta serwetką.

– W sobotę – przytaknął Alfierow, odstawiając talerz z niedojedzoną baraniną. Jego oczy, które na krótko zabłysły wojowniczo, od razu przygasiło zamyślenie.

– Czy pani wie, pani Lidio, że wczoraj z panem Glebem ugrzęźliśmy w windzie?

– Kompot – odpowiedziała pani Dorn – jest z gruszek.

Tancerze roześmieli się. Erika, potrącając biodrami o łokcie siedzących przy stole, zaczęła zbierać talerze. Ganin starannie zwinął serwetkę, wcisnął ją w kółko i wstał. Deserów nie jadał.

„Co za nuda... – myślał, wracając do swego pokoju. – I co mam teraz robić? Może warto by się przejść?...".

Ten dzień, podobnie jak poprzednie, upłynął mu mdło, na jakimś jałowym nieróbstwie, wyzutym z rozmarzonej nadziei, przydającej nieróbstwu tyle uroku. Podniósłszy kołnierz starego płaszcza, który kupił za funta od angielskiego porucznika w Konstantynopolu, i wcisnąwszy pięści w kieszenie, powolnym, rozkołysanym krokiem wałęsał się trochę po bladych kwietniowych ulicach, gdzie płynęły i chwiały się czarne kopuły parasoli, i długo stał przed wystawą towarzystwa okrętowego, patrząc na cudowny model „Mauretanii", na kolorowe sznury łączące na dużej mapie porty dwóch kontynentów. W głębi widniała fotografia przedstawiająca tropikalny gaj – czekoladowej barwy palmy na bladobrązowym niebie.

Chyba przez godzinę pił kawę, siedząc przy ogromnym, czystym oknie i przypatrując się przechodniom. Wróciwszy do domu, próbował czytać, ale to, co zawierała książka, wydawało mu się tak obce i niestosowne, że rzucił ją w środku zdania podrzędnego. Naszło go to, co nazywał

24

„roztargnieniem woli". Siedział bez ruchu przed biurkiem i nie mógł się zdecydować, co zrobić: zmienić pozycję, wstać, żeby pójść i umyć ręce, czy też otworzyć okno, za którym chmurny dzień przechodził już w zmierzch... Był to dręczący i przykry stan, nieco podobny do przygnębienia, które ogarnia nas, gdy wydobywszy się już ze snu, nie od razu możemy rozewrzeć jakby na zawsze zlepione powieki. Ganin też czuł, że mętny półmrok stopniowo nasycający pokój wypełnia go, przemieniając krew w mgłę, a on nie ma sił, by przemóc diabelstwo zmroku. Sił zaś nie miał, bo nie miał określonego pragnienia, a udręka polegała właśnie na tym, że daremnie tego pragnienia szukał. Nie mógł się zmusić, żeby wyciągnąć rękę ku lampie i zapalić światło. Proste przejście od zamiaru do jego spełnienia wydawało mu się niepojętym cudem. Nic nie ubarwiało jego mdłego smutku, myśli snuły się bez związku, serce biło spokojnie, bielizna nieznośnie lgnęła do ciała.

To wydawało mu się, że powinien natychmiast napisać do Ludmiły list, wyjaśnić jej stanowczo, że czas już przerwać ten nijaki romans, to przypominał sobie, że wieczorem ma pójść z nią do kina, i z jakiegoś powodu o wiele trudniej było zdobyć się na telefon i odwołać dzisiejsze spotkanie niż napisać list – dlatego nie był w stanie zrobić ani jednego, ani drugiego.

Ileż to już razy przysięgał sobie, że jutro z nią zerwie, znajdował bez trudu potrzebne wyrażenia, w żaden jednak sposób nie mógł wyobrazić sobie tej ostatniej chwili, kiedy uściśnie jej dłoń i spokojnie wyjdzie z pokoju. Ten właśnie ruch – odwrócić się i odejść – wydawał mu się nie do pomyślenia. Należał do gatunku ludzi, którzy umieją dążyć, osiągać, zupełnie jednak nie są zdolni do wyrzeczenia się ani do ucieczki – co w rezultacie na jedno wychodzi. Tak samo splątywało się w nim poczucie honoru i współczucie, przyćmiewając wolę tego człowieka, zdolnego skądinąd do wszelkich twórczych dokonań, do każdej pracy i zabierającego się do tej pracy z zachłannością, chęcią, z radosnym zamiarem przezwyciężenia wszystkiego i osiągnięcia wszystkiego.

Nie wiedział, jakiego potrzebuje impulsu z zewnątrz, ażeby móc zerwać trzymiesięczny związek z Ludmiłą, podobnie jak nie wiedział, co musi się stać, żeby zdołał podnieść się z krzesła. Bardzo krótko trwało jego prawdziwe uniesienie, ów stan duszy, w którym widział Ludmiłę w obłoku czaru, stan poszukującego, wzniosłego, prawie nieziemskiego wzruszenia, podobnego do muzyki rozlegającej się właśnie wtedy, gdy robimy coś najbardziej zwyczajnego – przechodzimy od stolika do bufetu, żeby zapłacić rachunek – muzyki, przemieniającej tę prostą czynność w jakiś wewnętrzny taniec, w pełen znaczenia, nieśmiertelny gest.

Muzyka ta umilkła w chwili, gdy nocą na rozwibrowanej podłodze taksówki Ludmiła oddała mu się i wszystko stało się od razu bardzo nudne – kobieta poprawiająca kapelusz, który zsunął się jej zanadto do tyłu, światła migocące za szybami, plecy kierowcy czerniejące za szybą jak góra.

Teraz za tę noc trzeba było płacić trudem oszukiwania, przeciągać tę noc w nieskończoność i bezsilnie, bezwolnie ulegać jej pełzającemu cieniowi, nasycającemu wszystkie kąty pokoju i przemieniającemu meble w obłoki. Z czołem opartym na dłoni, dziwacznie wyciągnąwszy pod stołem zdrętwiałe nogi, zapadł w mglistą drzemkę.

A potem, w kinematografie, zrobiło się tłoczno i gorąco. Bardzo długo w milczeniu, bez muzyki, prześlizgiwały się przez ekran podkolorowane reklamy – fortepiany, suknie, perfumy. Wreszcie orkiestra zagrała i zaczął się dramat.

Ludmiła była niezwykle wesoła. Zaprosiła też Klarę, gdyż wyczuwała, że przyjaciółce podoba się Ganin, i chciała sprawić przyjemność zarówno jej, jak sobie, pragnęła pochwalić się swoim romansem i umiejętnością ukrywania go. Klara zaś zgodziła się pójść, bo wiedziała, że Ganin zamierza w sobotę wyjechać, i dziwiła się tylko, że Ludmiła wydawała się o tym nie wiedzieć, albo też – sądziła – umyślnie nic nie mówi, a wyjadą razem.

Ganina, siedzącego między nimi, irytowało, że Ludmiła, jak większość kobiet jej typu, przez cały film mówiła o czymś innym, przechylając się przez jego kolana ku przyjaciółce i owiewając go za każdym razem zimnym, niemile znajomym zapachem perfum.

Tymczasem film był zajmujący i doskonale zrobiony.

– Pani Ludmiło – nie wytrzymał wreszcie Ganin – proszę nie szeptać. Niemiec za mną już się złości.

W ciemności spojrzała na niego szybko, odchyliła się, popatrzyła na połyskujący ekran.

– Nic nie rozumiem, to jakaś zupełna bzdura.

– Skoro wolała pani rozmawiać – powiedział Ganin – nic pani nie rozumie.

Na ekranie panował świetliście popielaty zamęt: primadonna, która popełniła kiedyś nieumyślne zabójstwo, nagle, grając w operze rolę zbrodniarki, przypomniała sobie o tym i wytrzeszczając ogromne, niewiarygodne oczy, upadła na wznak na scenę. Powoli przez ekran przesunęła się widownia; publiczność klaszcze, loże i parter wstają w ekstatycznym aplauzie. I nagle Ganinowi zwidziało się coś mgliście i przykro znajomego. Z niepokojem przypomniał sobie prymitywnie sklecony parter, siedzenia i bariery lóż, pomalowane na złowieszczy fiolet, leniwych robotników, którzy nonszalancko i obojętnie, niczym błękitne anioły, przestępowali wysoko w górze z belki na belkę lub nacelowywali oślepiające wyloty jupiterów na cały pułk Rosjan spędzonych do ogromnej szopy i filmowanych w stanie zupełnej niewiedzy o całości fabuły. Przypomniał sobie młodych mężczyzn w znoszonych, ale świetnie uszytych ubraniach, twarze pań w fioletowych smugach charakteryzacji i tych prostodusznych wygnańców, staruszków i niepozorne panienki, których sadowiono w głębi, ażeby wypełnili tło. Wnętrze tej zimnej szopy przeistoczyło się teraz na ekranie w zaciszny teatr, rogoża stała się aksamitem, a nędzarski tłum – publicznością teatralną. Wytężył wzrok: z przejmującym dygotem wstydu rozpoznał siebie wśród tych ludzi klaszczących na komendę i przypomniał sobie, jak polecono im wszystkim patrzeć prosto przed siebie na domniemaną scenę, na której nie było żadnej primadonny, a na pomoście wśród lamp stał ktoś rudy i gruby, bez marynarki, i wrzeszczał w tubę aż do ogłupienia.

Sobowtór Ganina też stał i klaskał, tam, obok czarnobrodego, bardzo efektownego pana ze wstęgą przez biały gors. Tamten trafiał zawsze do pierwszego rzędu dzięki tej właśnie bródce i wysztywnionej koszuli, podczas przerw zaś pojadał kanapki, a potem, po zdjęciach, nakładał na frak mizerne paletko i jechał do domu, do odległej dzielnicy Berlina, gdzie pracował w drukarni jako zecer. Ganin zaś doznawał w owej chwili nie tylko uczucia wstydu, ale szybkości uchodzenia, niepowtarzalności ludzkiego życia. Tam, na ekranie, jego szczupła sylwetka, ostra, zwrócona ku górze twarz i klaszczące ręce zatracały się w szarym wirze innych sylwetek, a w chwilę później sala, obróciwszy się jak okręt, znikła, i teraz pokazywano niemłodą, światowej sławy aktorkę, bardzo zręcznie udającą martwą młodą kobietę. „Nie wiemy, co czynimy” – ze wstrętem pomyślał Ganin, nie patrząc już na ekran.

Ludmiła znów szeptała z Klarą – coś o jakiejś krawcowej, materiale – dramat zbliżał się do finału i Ganin czuł się śmiertelnie znudzony. Gdy po kilku minutach przeciskali się do wyjścia, Ludmiła przytuliła się do niego i szepnęła:

– Kochanie, zadzwonię jutro o drugiej...

Ganin i Klara odprowadzili ją do domu, a potem razem poszli w stronę pensjonatu. Ganin milczał, Klara zaś w udręce szukała tematu do rozmowy.

– Podobno wyjeżdża pan w sobotę? – zapytała.

– Nie wiem, sam nie wiem... – chmurnie odpowiedział Ganin.

Szedł i myślał o tym, że oto teraz jego cień będzie wędrował z miasta do miasta, z ekranu na ekran, że nigdy nie dowie się, jacy ludzie będą go oglądać i jak długo będzie się poniewierał po świecie. I kiedy potem położył się do łóżka i słuchał pociągów, przenikających na wskroś przez ten ponury dom, w którym mieszkało siedem rosyjskich zatraconych cieni, całe życie wydało mu się planem zdjęciowym, podczas którego obojętny statysta ani wie, w jakim uczestniczy widowisku.

Ganin nie mógł usnąć, w nogach czuł mrowienie, a poduszka uwierała go w głowę. Wpośród nocy, za ścianą, jego sąsiad Ałfierow zaczął nucić. Przez cienką ścianę słychać było, jak człapie po podłodze, to zbliżając się, to oddalając, a Ganin leżał i irytował się. Kiedy przetaczał się dygot pociągów, głos Ałfierowa mieszał się z łoskotem, a potem znów wypływał: tu-u, tu-u-u, tu-u-u.

Ganin nie wytrzymał. Wciągnął spodnie, wyszedł na korytarz i pięścią zapukał do numeru pierwszego, Ałfierow w swojej wędrówce znalazł się właśnie przy drzwiach i otworzył je od razu, tak że zaskoczony Ganin aż się wzdrygnął.

– Proszę bardzo, panie Glebie, bardzo proszę.

Był w koszuli i spodniej bieliźnie, złocista bródka trochę się rozwichrzyła, pewnie przez to, że podśpiewywał z przydechem, a w jasnoniebieskich oczach migotało uszczęśliwienie.

– Śpiewa pan sobie – powiedział Ganin, ściągając brwi – a ja przez to nie mogę spać.

– Niechże pan wejdzie, kochany panie. Cóż to pan tak utknął w progu – zakrzątnął się Aleksiej Iwanowicz, niezręcznie, lecz serdecznie ujmując Ganina wpół. – Proszę mi z serca wybaczyć, jeśli przeszkodziłem.

Ganin niechętnie wszedł do pokoju. Było w nim bardzo niewiele rzeczy i bardzo duży rozgardiasz. Jedno z dwóch krzeseł, zamiast stać przy biurku (owym dębowym kolosie, na którym znajdował się kałamarz w kształcie wielkiej ropuchy), powędrowało nie wiedzieć czemu w stronę małej umywalki, w pół drogi jednak przystanęło, potknąwszy się najwidoczniej o skraj zielonego dywanika. Drugie krzesło, stojące przy łóżku jako nocny stolik, znikło pod czarną marynarką, która spadła nań niczym z góry Ararat, tak ciężko i grząsko na nim osiadła. Na dębowej pustyni biurka, a także na łóżku, porozrzucane były cienkie arkusiki. Ganin mimochodem spostrzegł na tych arkusikach ołówkowe szkice – koła i kwadraty, ale rysowane bez technicznej precyzji, byle jak, dla zabicia czasu. Sam Ałfierow w swych ciepłych kalesonach, które każdego mężczyznę, choćby był szczupły jak Adonis i pełen gracji jak Brummel, czyniły wyjątkowo niepociągającym, znowu krążył wśród tego pokojowego wiatrołomu, pstrykając paznokciem to w zielony klosz stojącej lampy, to w oparcie krzesła.

– Okropnie się cieszę, że pan wreszcie zajrzał do mnie – mówił – sam też nie mogę zasnąć. Niech pan tylko pomyśli – w sobotę przyjeżdża moja żona. A jutro już jest wtorek... Biedactwo moje, wyobrażam sobie, jak się umęczyła w tej przeklętej Rosji.

Ganin, który chmurnie przyglądał się zadaniu szachowemu, naszkicowanemu na jednej z kartek poniewierających się na łóżku, uniósł nagle głowę.

– Jak pan powiedział?

– Przyjeżdża – dziarsko pstryknął paznokciem Ałfierow.

– Nie, nie o tym... Jak pan powiedział o Rosji?

– Przeklęta. A co, może nieprawda?

– Nie, cóż – ciekawe określenie.

– Ech, panie Lwie – zatrzymał się nagle pośrodku pokoju Ałfierow – niech pan da spokój i nie udaje bolszewika. Panu wydaje się to bardzo interesujące, ale to z pańskiej strony grzech. Czas, żebyśmy wszyscy powiedzieli otwarcie, że z Rosją kaputt, że „wybraniec Boży" okazał się, jak się tego zresztą należało spodziewać, pospolitym łajdakiem, a więc, że nasza ojczyzna zginęła na zawsze.

Ganin roześmiał się.

– Oczywiście, oczywiście, panie Aleksieju.

Ałfierow powiódł dłonią z góry na dół po błyszczącej twarzy i uśmiechnął się nagle szerokim, rozmarzonym uśmiechem.

– Dlaczego pan, mój drogi, nie jest żonaty, co? – zapytał.

– Nie złożyło się – odpowiedział Ganin. – A czy tak jest weselej?

– Wspaniale. Moja żona to cudo. Brunetka, wie pan. Oczy takie żywe. Jest młodziutka. Pobraliśmy się w Połtawie w dziewiętnastym roku, a w dwudziestym musiałem uciekać. Mam tu w biurku fotografię.

Wypchnął od dołu pięścią szeroką szufladę.

– Kim pan wtedy był, panie Aleksieju? – bez zaciekawienia zapytał Ganin.

Ałfierow pokręcił głową.

– Nie pamiętam. Czy można zapamiętać, kim się było w poprzednim życiu – może ostrygą albo na przykład ptakiem, a może nauczycielem matematyki? Dawne życie w Rosji wydaje mi się właśnie czymś z praczasów, czymś metafizycznym albo – jak się to nazywa – ... inne słowo... tak, metempsychozą...

Ganin dość obojętnie przyglądał się fotografii w wysuniętej szufladzie. Była to twarz potarganej młodej kobiety, o wesołych ustach, odsłaniających mnóstwo zębów. Alfierow nachylił mu się przez ramię.

– Nie, to nie żona, to siostra. Umarła w Kijowie na tyfus. Była z niej śmieszka, miła dziewuszka, lubiła się bawić w berka...

Podsunął inną fotografię:

– To jest Maszeńka, moja żona, to niedobre zdjęcie, ale jest podobna. A to inne, zrobione w naszym ogrodzie. Maszeńka to ta, która siedzi, w jasnej sukni. Nie widziałem jej cztery lata. Ale nie myślę, żeby się bardzo zmieniła. Po prostu nie mam pojęcia, jak dożyję do soboty... Niech pan poczeka... Ależ dokąd pan, panie Lwie? Niech pan jeszcze posiedzi...

Ganin, wcisnąwszy ręce głęboko w kieszenie spodni, szedł ku drzwiom.

– Panie Lwie! Co się panu stało? Czy pana czymś uraziłem?

Drzwi zatrzasnęły się, Alfierow został sam pośrodku pokoju.

– Ależ gbur – wymamrotał. – Co go ugryzło?

3

Tej nocy, jak zawsze, staruszek w czarnej pelerynie szedł wolno wzdłuż samego krawężnika długą pustą aleją i ostrzem sękatego kija dziobał asfalt, wyszukując niedopałki papierosów – złociste, koloru korka, i zwyczajne papierowe, a także warstwiaste końcówki cygar. Z rzadka, rycząc jak jeleń, przemykał samochód albo też zdarzało się to, czego nie może dostrzec żaden z przechodniów w mieście – szybciej niż myśl i bezgłośniej niż łza spadała gwiazda. Jaskrawsze i weselsze od gwiazd były ogniste litery, które wysypywały się jedna po drugiej nad czarnym dachem, dreptały gęsiego i nagle niknęły w ciemnościach.

„Czy... to... możliwe?"... – wyłaniał się ognisty, ostrożny szept liter, a noc strącała je jednym aksamitnym uderzeniem. – „Czy... to..." – zaczynały od nowa, skradając się po niebie.

I znów pochłaniała je ciemność. Ale one rozpalały się z uporem i wreszcie, zamiast od razu zniknąć, pozostawały, ażeby lśnić przez całe pięć minut, jak to zostało

ustalone między biurem reklam elektrycznych a fabry-
kantem.

Diabli zresztą wiedzą, co naprawdę jarzyło się w ciemności, ponad domami, czy reklama świetlna, czy ludzka
myśl, znak, wołanie, pytanie, ciśnięte w niebo i uzyskujące
naraz zachwycającą, roziskrzoną odpowiedź.

Po ulicach zaś, które zrobiły się szerokie niby czarne,
połyskliwe morze, o tej późnej godzinie, kiedy zamyka się
ostatnia knajpa i Rosjanin niepomny już, że czas spać, bez
czapki, bez marynarki, okryty starym prochowcem, niczym
jasnowidzący, wyszedł na ulice, żeby się powłóczyć – o tej
późnej godzinie, po tych szerokich ulicach błądziły nic
o sobie niewiedzące światy – nie hulaka, nie kobieta, nie po
prostu przechodzień, lecz zabity na głucho świat pełen
cudów i zbrodni. Pięć dorożek stało wzdłuż alei obok ogrom-
nego bębna ulicznego pisuaru, pięć sennych, ciepłych, posi-
wiałych światów w dorożkarskich liberiach, i na obolałych
kopytach pięć innych światów, które spały i we śnie widzia-
ły tylko owies, z cichym chrzęstem spływający z worka.

Zdarzają się mgnienia, kiedy wszystko staje się potwor-
ne, bezdennie głębokie, kiedy wydaje się, że tak strasznie
jest żyć, a jeszcze straszniej umrzeć. I nagle, kiedy się tak
gna po nocnym mieście, patrząc przez łzy na światła i wy-
chwytując w nich cudowne, oślepiające wspomnienia
szczęścia – twarz kobiety, wyłonioną znów z powszedniości
po wielu latach zapomnienia – nagle, kiedy człowiek tak
gna i szaleje, zatrzymuje go przechodzień i pyta uprzej-
mie, jak dojść do takiej a takiej ulicy – głosem zwyczajnym, którego jednak nigdy się już więcej nie usłyszy.

4

We wtorek obudził się późno, poczuł łamanie w nogach, i oparty łokciem o poduszkę, raz czy dwa przypomniawszy sobie to, co stało się wczoraj, westchnął z trwożną, pełną zdumienia błogością.

Poranek był blady, delikatny, przymglony. Dzwoniły ostro rozdygotane szyby.

Jednym susem wyskoczył z łóżka i zabrał się do golenia. Dziś znajdował w tym szczególną przyjemność. Kto się goli, młodnieje co rano o cały dzień. Ganinowi wydawało się dziś, że odmłodniał o dziewięć lat.

Szczecina na napiętej skórze, zmiękczona płatami piany, chrzęściła miarowo i znikała pod stalowym płużkiem żyletki. Goląc się, Ganin poruszał brwiami, a potem, ochlapując się zimną wodą z dzbanka, radośnie się uśmiechał. Przygładził ciemne wilgotne włosy na ciemieniu, szybko się ubrał i wyszedł na ulicę.

W pensjonacie nie zostawał nikt z mieszkańców z wyjątkiem tancerzy, którzy zazwyczaj wstawali dopiero na obiad. Alfierow poszedł do znajomego, z którym miał założyć jakieś biuro, Podtiagin pojechał na policję wojować o wizę wyjazdową, Klara, która już się spóźniła do pracy, czekała za rogiem na tramwaj, przyciskając do piersi papierową torebkę z pomarańczami.

A Ganin, zupełnie niezdenerwowany, wszedł na piętro znajomej kamienicy i pociągnął za kółko dzwonka. Drzwi otworzyła mu pokojówka i nie zdejmując wewnętrznego łańcucha, wychyliła się i oznajmiła mu, że pani Rubańska jeszcze śpi.

– To nic, muszę się z nią zobaczyć – powiedział spokojnie Ganin i wsunąwszy rękę w szparę, sam zdjął łańcuch.

Pokojówka, krępa blada dziewczyna, wymamrotała coś z oburzeniem, ale Ganin, stanowczo odsunąwszy ją łokciem, przeszedł półmrok korytarza i zapukał do drzwi.

– Kto tam? – rozległ się trochę ochrypły, poranny głos Ludmiły.

– To ja, otwórz.

Podbiegła do drzwi, tłukąc bosymi piętami, przekręciła klucz i nim spojrzała na Ganina, zawróciła do łóżka i wskoczyła pod kołdrę. Z koniuszka ucha Ludmiły można było wyczytać, że uśmiecha się w poduszkę, czekając, żeby Ganin do niej podszedł.

On jednak zatrzymał się pośrodku pokoju i stał tak dość długo, pobrzękując bilonem w kieszeni płaszcza.

Ludmiła odwróciła się nagle na plecy i śmiejąc się, wyciągnęła nagie szczupłe ramiona. Ranek nie dodawał jej urody: twarz miała bladą, zapuchniętą, żółte włosy stały dęba.

– No – powiedziała przeciągle i zmrużyła oczy.

Ganin przestał brzęczeć monetami.

– Jest taka sprawa, Ludmiło... – powiedział cicho.

Uniosła się, szeroko otwierając oczy.

– Czy coś się stało?

Ganin popatrzył na nią uważnie i odpowiedział:

– Tak. Okazało się, że kocham inną kobietę. Przyszedłem, żeby się z tobą pożegnać.

Zamrugała swymi kosmatymi rzęsami, przygryzła wargę.

– To już właściwie wszystko – powiedział Ganin. Bardzo mi przykro, ale nic na to nie poradzę. Pożegnamy się teraz. Myślę, że tak będzie lepiej.

Ludmiła, zasłoniwszy twarz, znów wtuliła ją w poduszkę. Niebieska pikowana kołdra zaczęła ukosem ześlizgiwać się z jej nóg na puszysty biały chodniczek. Ganin podniósł i wyrównał kołdrę. Potem raz czy dwa przespacerował się po pokoju.

– Pokojówka nie chciała mnie wpuścić – powiedział.

Ludmiła z twarzą ukrytą w poduszce leżała jak martwa.

– I w ogóle – dodał Ganin – jest jakaś nieżyczliwa.

– Czas, żeby przestali palić. Już wiosna – powiedział w chwilę później. Przeszedł od drzwi do białego tremo, a potem włożył kapelusz. Ludmiła nie ruszała się. Stał jeszcze chwilę, patrzył na nią w milczeniu i wydawszy lekki gardłowy dźwięk, jakby chciał zakaszleć, wyszedł z pokoju.

Starając się stąpać cicho, przeszedł szybko przez długi korytarz, pomylił drzwi, trafił z rozpędu do łazienki, skąd runęła włochata ręka i lwi poryk, ostro zawrócił i zderzywszy się znowu z krępą pokojówką, która w przedpokoju wycierała szmatką popiersie z brązu, zaczął schodzić po raz ostatni łagodnymi kamiennymi schodami. Na podeście ogromne skrzydło okna wychodzącego na tylne podwórze było otwarte i wędrowny baryton ryczał na tym podwórzu po niemiecku *Stieńkę Razina*[*].

Wsłuchawszy się w wiosennie rozedrgany głos i spojrzawszy na deseń szyby okiennej, krzew geometrycznych róż i wachlarz pawiego ogona – Ganin poczuł, że jest wolny.

---

[*] Stieńka Razin – watażka, przywódca buntu chłopskiego z XVII wieku (przyp. tłum.).

Powoli szedł ulicą i palił papierosa. Dzień był dość chłodny, o mlecznej tonacji: białe zmierzwione obłoki wybrzuszały się naprzeciw niego w błękitnym prześwicie pomiędzy domami. Kiedy patrzył na szybkie chmury, zawsze myślał o Rosji, ale teraz przypomniałby sobie o niej i bez chmur; od ubiegłej nocy myślał wyłącznie o niej.

To, co stało się owej nocy, to zachwycające zdarzenie duszy, przemieściło świetlne pryzmaty całego jego życia i opłynęło go przeszłością.

Usiadł na ławce przy dużym skwerze i od razu odezwał się jego trwożny i czuły towarzysz, postępujący za nim, rozłożył się u jego stóp szarawym wiosennym cieniem i przemówił.

Teraz kiedy Ludmiła zniknęła, mógł go swobodnie słuchać...

Dziewięć lat temu... Lato, dwór, tyfus... zadziwiająco przyjemne jest zdrowienie po tyfusie. Leży się niczym na fali powietrza, trochę jeszcze pobolewa śledziona, i sprowadzona z Petersburga pielęgniarka zwilża ci co rano język – lepki po nocy – watą nasyconą portwajnem. Pielęgniarka jest niska, ma miękkie piersi, zręczne krótkie ręce i pachnie od niej rześkim chłodkiem staropanieństwa. Lubi zabawne powiedzonka, jakieś japońskie słówka, które zostały jej z wojny czternastego roku. Twarz ma jak piąstka, babską, ospowatą, nosek ostry, a spod chusteczki nie wymyka się ani jeden włosek.

Leży się niczym w powietrzu. Z lewej strony łóżko odgrodzone jest od drzwi trzcinowym parawanem, żółtym o łagodnych zgięciach. Po prawej, bardzo blisko, w rogu, wiszą ikony: smagłe twarze świętych za szkłem, woskowe kwiaty, koralowy krzyżyk. Okna są dwa. Jedno dokładnie

naprzeciwko, ale daleko: łóżko jakby odpycha się wezgło-
wiem od ściany i celuje w nie mosiężnymi gałkami prze-
ciwległego oparcia, a w każdej gałce lśni pęcherzyk słońca;
celuje i zaraz ruszy, popłynic przcz cały pokój ku oknu
w głębokie lipcowe niebo, po którym suną ukosem pulchne, lśniące obłoki. Drugie okno w prawej ścianie wychodzi
na zielonkawy pochyły dach: sypialnia jest na piętrze, a to
jest dach parterowego skrzydła, gdzie mieści się izba cze-
ladna i kuchnia. Okna zamyka się na noc białymi wielo-
skrzydłowymi okiennicami.

Za parawanem są drzwi prowadzące na schody, a dalej,
przy tej samej ścianie, połyskujący biały piec i staroświec-
ka umywalka ze zbiornikiem na wodę i dziobokształtnym
kranem: gdy się naciśnie nogą mosiężny pedał, z kranu
tryska cieniutka strużka. Na lewo od przedniego okna stoi
mahoniowa komoda o bardzo ciężko wysuwających się
szufladach, a po prawej – otomanka.

Tapety są białe w niebieskawe róże. W półmalignie zdarzało mu się formować z tych róż profil po profilu albo
wędrować spojrzeniem w górę i w dół, tak aby po drodze
nie zaczepić o żaden kwiatek, o żaden listek, wynajdując
szczeliny w ornamencie, przeskakując i zawracając, gdy
zabrnął w ślepą uliczkę, i zaczynając od nowa wędrówkę
przez jasny labirynt. Po prawej stronie łóżka między lamp-
ką oliwną a bocznym oknem wiszą dwa obrazki: żółwiej
maści kot pijący mleko ze spodeczka i szpak zrobiony
wypukle z własnych piór na namalowanym szpaczym
domku. Obok, tuż przy futrynie okiennej, umocowana jest
lampa naftowa, zdradzająca skłonność do wysuwania czarnego języka kopciu. Są też inne obrazki: litografia przedstawiająca neapolitańczyka o odsłoniętej piersi wisi nad

komodą, a nad umywalką – rysowany ołówkiem łeb konia, który rozdymając nozdrza, płynie po wodzie.

Przez cały boży dzień łóżko wślizguje się w gorące i wietrzne niebo, a gdy się unieść, widać wierzchołki lip ciasno opasanych żółtym słońcem, druty telefoniczne, na których przysiadają jerzyki, i część drewnianego dachu nad miękką czerwoną drogą przed głównym gankiem. Docierają stamtąd zdumiewające dźwięki: szczebiot, dalekie naszczekiwanie, skrzypienie studziennej pompy.

Leży się, płynie i myśli o tym, że niedługo można będzie wstać: w słonecznej kałuży tańczą muchy, a kolorowy motek jedwabiu zeskakuje jak żywy z kolan matki siedzącej tuż obok i toczy się łagodnie po bursztynowym parkiecie...

W tym pokoju, w którym wracał do zdrowia szesnastoletni Ganin, narodziło się właśnie owo szczęście, ów wizerunek kobiety, którą miesiąc potem spotkał na jawie. W tym dziele stworzenia uczestniczyło wszystko – i spokojne litografie na ścianach, i zaokienny szczebiot, i brązowe oblicze Chrystusa w ramie obrazu i nawet mała fontanna umywalki. Rodzący się wizerunek wiązał, wchłaniał cały słoneczny wdzięk tego pokoju i bez niego nigdy by oczywiście nie powstał. Było to w końcu po prostu młodzieńcze przeczucie, słodki opar, ale Ganinowi wydawało się teraz, że nigdy tego rodzaju przeczucie nie spełniło się z taką doskonałością. Przez cały dzień wędrował ze skwerku na skwer, z kawiarni do kawiarni, a wspomnienie nieustannie polatywało przed nim niczym kwietniowe obłoki na delikatnym berlińskim niebie. Ludzie siedzący w kawiarniach przypuszczali, że temu człowiekowi, w takim skupieniu spoglądającemu przed siebie, przydarzyło się jakieś wielkie nieszczęście, on zaś na ulicy trącał w roztargnieniu idących z naprzeciwka, a raz szybki automobil, klnąc, zahamował, bo omal go nie potrącił.

Był bóstwem odtwarzającym zaprzepaszczony świat. Stopniowo wskrzeszał świat dla kobiety, której nie śmiał do niego wprowadzić, dopóki nie będzie całkiem gotów. Ale jej wizerunek, jej obecność, cień wspomnienia o niej domagały się tego, ażeby wreszcie wskrzesił także ją, umyślnie więc odsuwał jej wizerunek, bo chciał zbliżyć się do niego powoli, krok po kroku, tak jak wtedy przed dziewięcioma laty. W obawie, że zabłądzi, zagubi się w świetlistym labiryncie pamięci, odtwarzał swą dawną drogę ostrożnie, troskliwie, nawracając czasem do zapomnianego szczegółu, ale nie wybiegając naprzód. Tego wiosennego wtorku, chodząc bez celu po Berlinie, rzeczywiście powracał do zdrowia, doznawał uczucia z pierwszego dnia rekonwalescencji, słabości w nogach. Przeglądał się we wszystkich lustrach. Bielizna i ubranie wydawały mu się niezwykle czyste, obszerne i trochę obce. Szedł powoli szeroką aleją prowadzącą sprzed domu w gąszcz parku. Tu i ówdzie wyłaniały się z ziemi fioletowej od cieni listowia czarne, kręto biegnące, kopczyki – dzieło kretów. Włożył białe spodnie i fioletowe skarpetki. Marzył, że w parku kogoś spotka – jeszcze nie wiedział kogo.

Doszedłszy do końca alei, gdzie w ciemnej zieleni iglastych drzew lśniła biała ławka, zawrócił i daleko przed sobą, w prześwicic między lipami, dojrzał pomarańczowy piasek parkowego placyku i połyskujące szyby werandy.

41

Pielęgniarka odjechała do Petersburga – długo wychylała się z powozu, machała krótką ręką, a wiatr targał jej chustką. Nadeszły teraz radosne, rześkie dni. We dworze było chłodno, na parkiecie leżały płaszcze słońca. A po dwóch tygodniach uganiał się już do ogłupienia na rowerze i grał w słupki z synem dojarki. W tydzień później zaś stało się to, na co tak czekał. „Gdzież się to wszystko podziało – westchnął Ganin. – Gdzie jest teraz tamto słońce, słupki, które tak wesoło brzęczały i podskakiwały, mój rower z nisko osadzoną kierownicą i wielką przekładnią?... Istnieje podobno zasada, zgodnie z którą nic nie ginie, nie sposób zniszczyć materii, a więc do tej pory istnieją gdzieś drzazgi od moich kijków i szprychy od roweru. Cały kłopot w tym, że nigdy nie da się ich znowu zespolić w całość. Czytałem o «nieustającym nawrocie»... A jeśli ten skomplikowany pasjans nigdy nie wyjdzie po raz drugi? No właśnie... Czegoś tu w żaden sposób nie potrafię zrozumieć... Czy naprawdę to wszystko umrze razem ze mną? Jestem teraz sam w obcym mieście. Jestem pijany. Łeb mi pęka od koniaku i piwa. Nogi nawłóczyły się, ile mogły. A zaraz przecież może mi pęknąć serce, razem z nim zaś pęknie mój świat... Nie potrafię tego zrozumieć...".

Znalazł się znowu na tym samym skwerze, ale teraz było bardzo zimno, niebo powlokło się pod wieczór bladością omdlenia.

„Zostały cztery dni: środa, czwartek, piątek, sobota. A ja mogę zaraz umrzeć...".

– Trzeba wziąć się w garść – wymamrotał nagle, marszcząc ciemne brwi. – Dosyć tego. Czas do domu.

Na podeście schodów spotkał Ałfierowa, który przygarbiony trochę w swym niezwykle szerokim palcie, wydymając wargi, uważnie wsuwał klucz do zamka windy.

– Idę po gazetę, panie Lwie. Przejdzie się pan ze mną?

– Dziękuję – odpowiedział Ganin i skierował się do pokoju.

Ująwszy jednak klamkę, zatrzymał się. Owładnęła nim błyskawiczna pokusa. Usłyszał, jak Alfierow wsiadł do windy, jak maszyneria ze żmudnym, głuchym łoskotem zjechała w dół i tam zgrzytnęła.

„Wyniósł się... – pomyślał, przygryzając wargi. – Do diabła... zaryzykuję".

Los zrządził, że w pięć minut później Klara zapukała do Alfierowa, aby zapytać, czy nie ma znaczka pocztowego. W górnej matowej szybie drzwi żółciło się światło, więc pomyślała, że Alfierow jest u siebie.

– Panie Aleksieju – zaczęła Klara, pukając i jednocześnie ostrożnie otwierając drzwi – czy nie ma pan...

Zdumiona, urwała nagle. Przy biurku stał Ganin i pośpiesznie zasuwał szufladę. Obejrzał się, błysnął zębami, pchnął szufladę biodrem i wyprostował się.

– O mój Boże – cicho powiedziała Klara i wycofała się z pokoju.

Ganin szybko zrobił krok w jej stronę, gasząc po drodze światło i zamykając drzwi. Klara oparła się plecami o ścianę w ciemnawym korytarzu i patrzyła na niego ze zgrozą, przyciskając pulchne ręce do skroni.

– Mój Boże – powtórzyła równie cicho. – Jak pan mógł...

Z pełnym znużenia łoskotem, jakby z zadyszką, winda wzbiła się w górę.

– Wraca... – tajemniczo szepnął Ganin.

– O, nie zdradzę pana! – z goryczą wykrzyknęła Klara, nie spuszczając z niego błyszczących wilgotnych oczu. – Ale jak pan mógł? Przecież on nie jest bogatszy niż pan... Nie, to jakiś koszmar.

– Chodźmy do pani – powiedział z uśmiechem Ganin.

– Chyba uda mi się pani wytłumaczyć...

Powoli oderwała się od ściany i z pochyloną głową ruszyła do swego pokoju. Było tam ciepło, pachniało dobrymi perfumami, na ścianie wisiała kopia *Wyspy umarłych* Böcklina, na stoliku stało zdjęcie – mocno wyretuszowana twarz Ludmiły.

– Pokłóciliśmy się – skinął Ganin w stronę zdjęcia. – Niech mnie pani nie zaprasza, kiedy ona przyjdzie do pani. Wszystko skończone.

Klara usiadła na kanapce, podwijając nogi, i otulona w czarną chustę, patrzyła spode łba na Ganina.

– To wszystko bzdury, Klaro – powiedział, siadając przy niej i podpierając się wyprostowaną ręką. – Czy pani myśli, że ja rzeczywiście kradłem pieniądze? Oczywiście będzie mi przykro, jeśli Ałfierow dowie się, że szperałem w jego biurku.

– Więc co pan robił? Co to mogło być innego? – wyszeptała Klara. – Nie spodziewałam się tego po panu, panie Lwie.

– Doprawdy, jest pani zabawna – powiedział Ganin i spostrzegł, że jej duże, czułe, lekko wypukłe oczy trochę zanadto błyszczą, że w zbyt wielkim poruszeniu unoszą się i opadają ramiona okryte czarną chustą.

– Dajmy temu spokój – uśmiechnął się. – No dobrze, przypuśćmy, że jestem złodziejem i włamywaczem, ale dlaczego pani tak bardzo się tym przejmuje?

– Proszę, niech pan odejdzie – powiedziała cicho Klara i odwróciła głowę.

Roześmiał się i wzruszył ramionami...

Kiedy zaś drzwi zamknęły się za nim, Klara rozpłakała się i płakała długo ciężkimi, błyszczącymi łzami, które równomiernie pojawiały się na jej rzęsach i podłużnymi kroplami spełzały po rozognionej od płaczu twarzy.

– Biedaczysko – mamrotała – do czego życie go doprowadziło. I co ja mu mogę powiedzieć...

Rozległo się lekkie uderzenie w ścianę z pokoju tancerzy. Klara energicznie wytarła nos, przysłuchała się. Uderzenie powtórzyło się, po kobiecemu aksamitne. Stukał pewnie Kolin. Potem przetoczył się śmiech, ktoś wykrzyknął: „Alek, och, Alek, przestań...". I dwa głosy zaczęły paplać czule przytłumionym szeptem.

Klara pomyślała o tym, że jutro jak zawsze trzeba jechać do pracy, do szóstej uderzać w klawisze, śledząc wzrokiem fioletową linijkę liter, które ziarniście potrzaskując, wysypywać się będą na arkusz, albo, jeśli nie będzie nic do roboty, czytać, oparłszy o czarnego remingtona pożyczoną, bezwstydnie wystrzępioną książkę. Zaparzyła sobie herbaty, apatycznie zjadła kolację, potem długo, ospale się rozbierała i wzdychała. Leżąc w łóżku, słyszała obok w pokoju Podtiagina jakieś głosy, ktoś wchodził i wychodził, nieoczekiwanie głośno powiedział coś Ganin, Podtiagin zaś odpowiedział cicho i z żalem. Przypomniała sobie, że stary znów jeździł dziś w sprawie paszportu, że jest ciężko chory na serce, że życie przemija, a ona w piątek skończy dwadzieścia sześć lat. Głosy rozlegały się przez cały czas i Klarze wydawało się, że mieszka w szklanym domu, który chwieje się i dokądś płynie. Hałas pociągów, szczególnie wyraźnie słyszalny po drugiej stronie domu, docierał także tutaj i łóżko zdawało się unosić i kołysać. Mignęły jej przed oczami plecy Ganina, gdy pochylał się nad biurkiem i odwracał przez ramię, odsłaniając ostre, błyszczące zęby. Potem usnęła i śniły się jej jakieś bzdury: oto wsiadła do tramwaju, a obok niej staruszka, niezwykle podobna do jej ciotki mieszkającej w Łodzi, szybko mówi po niemiecku, i stopniowo okazuje się, że to wcale nie jej ciotka, ale ta życzliwa handlarka, u której Klara w drodze do biura kupuje pomarańcze.

5

Tego wieczoru do Antoniego Siergiejewicza przyszedł gość. Był to starszy pan o żółtawych wąsach, przystrzyżonych z angielska, poważny, ubrany bardzo schludnie, w surducie i sztuczkowych spodniach. Gdy Ganin wszedł, Podtiagin częstował go właśnie bulionem z maggi. Powietrze było błękitne od dymu z papierosów.

– Pan Ganin, pan Kunicyn. – I Antoni Siergiejewicz, pobłyskując szkłami pince-nez i posapując, miękką dłonią wtłoczył Ganina w fotel.

– To jest, panie Lwie, mój dawny kolega szkolny, kiedyś pisał dla mnie ściągawki.

Kunicyn odsłonił zęby w uśmiechu.

– Zdarzało się – przytaknął niskim, modulowanym głosem. – Czy mogę, panie Antoni, zapytać o godzinę?

– Ależ godzina jest doprawdy dziecinna, możemy jeszcze posiedzieć.

Kunicyn wstał, obciągając kamizelkę.

– Małżonka czeka na mnie, nie mogę.

– Wobec tego nie śmiem zatrzymywać – rozłożył ręce Antoni Siergiejewicz i z ukosa, przez pince-nez, popatrzył na gościa. – Proszę przekazać ukłony żonie. Nie mam zaszczytu jej znać, ale proszę przekazać.

– Dziękuję – powiedział Kunicyn. – Bardzo mi miło. Życzę wszystkiego dobrego. Płaszcz, zdaje się, zostawiłem w przedpokoju.

– Odprowadzę pana – rzekł Podtiagin. – Przepraszam bardzo, panie Lwie, zaraz wrócę.

Zostawszy sam, Ganin rozsiadł się wygodnie w starym zielonym fotelu i uśmiechnął się w zamyśleniu. Wstąpił do starego poety dlatego, że był to chyba jedyny człowiek zdolny zrozumieć jego wzruszenie. Chciał mu opowiedzieć o wielu sprawach – o zachodach słońca nad rosyjską szosą, o brzozowych zagajnikach. W oprawnych kompletach starych czasopism „Wsiemirnaja Illustracja" i „Żywopisnoje Obozrienije" pojawiały się pod winietami właśnie wiersze Podtiagina. Podtiagin wrócił, ponuro kręcąc głową.

– Obraził mnie – powiedział, siadając przy stole i bębniąc palcami. – Bardzo mnie obraził...

– O co chodzi? – uśmiechnął się Ganin.

Antoni Siergiejewicz zdjął pince-nez i przetarł je skrajem obrusa.

– On mną gardzi, ot co. Wie pan, co mi niedawno powiedział? Spojrzał z takim zimnym uśmieszkiem. Pan, powiada, pisał sobie wiersze, a ja ich nie czytałem. A gdybym czytał, traciłbym czas przeznaczony na pracę. To mi właśnie powiedział, panie Lwie; pytam pana, czy to rozsądne.

– A kto to w ogóle jest? – zapytał Ganin.

– Diabli go wiedzą. Robi pieniądze. Ech... To, widzi pan, człowiek...

– Cóż w tym obraźliwego, panie Antoni? On ma swoje sprawy, a pan swoje. Przecież pan pewnie też nim gardzi.

– Ach, panie Lwie – powiedział poruszony Podtiagin – czy nie mam racji, że nim gardzę? Przecież nie to jest

47

okropne, ale to, że taki człowiek śmie proponować mi pieniądze...

Rozwarł zaciśniętą dłoń i rzucił na stół zwinięty papierek.

– ... to okropne, że je przyjąłem. Proszę, niech pan popatrzy – dwadzieścia marek, żeby je diabli.

Stary zupełnie się rozkleił, poruszał ustami, szczotka pod jego dolną wargą drgała, grube palce bębniły po stole. Potem westchnął z ciężkim przyświstem i pokręcił głową.

– Piet'ka Kunicyn... A jakże, wszystko pamiętam... Dobrze się drań uczył. Taki był systematyczny, miał zegarek. Podczas lekcji pokazywał na palcach, ile zostało do dzwonka. Ukończył z wyróżnieniem gimnazjum nr 1.

– Dziwnie pewno panu o tym wspominać – zauważył w zamyśleniu Ganin. – Dziwnie jest w ogóle wspominać, choćby o tym, co wydarzyło się kilka godzin temu, o codziennych, a przecież niecodziennych drobiazgach.

Podtiagin spojrzał na niego uważnie i łagodnie.

– Co się z panem dzieje, panie Lwie? Twarz panu jakoś pojaśniała. Może się pan znów zakochał? A jeśli już mówimy o dziwności wspominania... Do licha, ładnie się pan uśmiechnął...

– Wstąpiłem do pana nie bez powodu, panie Antoni...

– No proszę, a ja tu pana częstuję Kunicynem. Proszę brać z niego przykład. Jak się pan uczył?

– Tak sobie – uśmiechnął się znowu Ganin. – Czy zna pan szkołę Bałaszowa w Petersburgu? – ciągnął dalej, dostosowując się trochę do tonu Podtiagina, jak się to często zdarza, gdy rozmawiamy ze starcem. – No właśnie. Pamiętam dziedziniec tej szkoły. Graliśmy w piłkę nożną. W łukowej bramie złożone były drwa. Piłka strącała czasem polano.

– Myśmy częściej grali w palanta i w rozbójników – powiedział Podtiagin. – Tak przeminęło życie – dodał niespodzianie.

– A ja, panie Antoni, wspominałem dziś stare pisma, w których były pańskie wiersze. I brzozowe gaje.

– Doprawdy, pamięta je pan? – z łagodną ironią zwrócił się do niego starzec. – Głupia ja, głupia – przecież przez te brzozy przegapiłem całe swoje życie, całą Rosję. Teraz, Bogu dzięki, nie piszę wierszy. Basta. Wstyd nawet wpisywać do papierów: „poeta". Dziś zresztą znowu nic nie zrozumiałem. Aż się urzędnik obruszył. Jutro znów tam pojadę.

– W szkole, w ostatnich klasach, koledzy myśleli, że mam kochankę, i to jeszcze jaką: prawdziwą damę. Szanowali mnie za to. Nie zaprzeczałem, bo sam rozpuściłem tę plotkę.

– Tak, tak – kiwał głową Podtiagin. – Jest w panu jakaś chytrość, Lowuszka... To dobrze...

– A w gruncie rzeczy byłem tak czysty, że aż śmiech bierze. I wcale przez to nie cierpiałem. Byłem z tego dumny niby ze szczególnej tajemnicy, a innym wydawałem się bardzo doświadczony. Nie byłem, co prawda, wstydliwy ani nieśmiały. Ot, żyłem sobie po prostu bardzo wygodnie i czekałem. A moi koledzy, którzy używali najgorszych słów i którym dech zapierało przy słowie „kobieta", byli wszyscy pryszczaci, brudni, ręce im się pociły. Gardziłem nimi za te pryszcze. Oni tak obrzydliwie kłamali o swoich miłosnych sprawach.

– Nie będę ukrywał przed panem – powiedział matowym głosem Podtiagin – że zacząłem z pokojówką. Była cudowna, cicha, szarooka. Miała na imię Głasza. Takie to były sprawy.

– Nie, ja czekałem – cicho powiedział Ganin. – Od trzynastego do szesnastego roku życia, to znaczy przez trzy lata. Kiedy miałem trzynaście lat, bawiliśmy się raz w chowanego i znalazłem się ze swoim rówieśnikiem w szafie z ubraniami. Opowiedział mi po ciemku, że na świecie istnieją cudowne kobiety, które pozwalają rozbierać się za pieniądze. Nie usłyszałem dokładnie, jak je nazwał, zdawało mi się, że „prinstytutka". Połączenie princessy i instytutki*. Dlatego, kiedy o nich myślałem, wydawały mi się takie cudowne, takie tajemnicze. Wkrótce, rzecz jasna, zrozumiałem, że się omyliłem, bo te kobiety, które rozkołysanym krokiem przechadzały się po Newskim, i nas, gimnazjalistów, nazywały „szczawikami", wcale mnie nie pociągały. No i po trzech latach takiej dumy i niewinności doczekałem się. To się stało latem, w naszej wsi.

– Tak, tak – powiedział Podtiagin. – Rozumiem to wszystko. Tyle że to trochę nudne. Szesnaście lat, zagajnik, miłość...

Ganin spojrzał na niego z zaciekawieniem.

– Cóż może być lepszego, panie Antoni?

– Nie wiem, niech mnie pan nie pyta, mój drogi. Wyjałowiłem życie poezją, a teraz za późno, żeby zaczynać je od nowa. Myślę tylko, że ostatecznie lepiej być sangwinikiem, człowiekiem działania – a jeśli już się bawić, to tak, żeby lustra trzaskały.

– To się też zdarzało – uśmiechnął się Ganin.

Podtiagin zamyślił się chwilę.

– Mówił pan o rosyjskiej wsi, panie Lwie. Pan ją pewnie znowu kiedyś zobaczy. A ja złożę kości tutaj. Albo w Paryżu. Całkiem się dziś rozkleiłem, przepraszam pana.

Obaj zamilkli. Przejechał pociąg. Parowóz skądś z oddali zawołał rozpaczliwie i niezależnie. W odsłoniętym oknie chłodno granatowiała noc, odbijając abażur lampy i skraj oświetlonego stołu. Podtiagin siedział przygarbiony, z opuszczoną siwą głową, obracając w dłoniach skórzaną

---

* Instytutka – uczennica pensji (instytutu) dla panien (przyp. tłum.).

papierośnicę. Nikt nie zdołałby zgadnąć, o czym rozmyślał. Czy o bezbarwnie przeminionym życiu, czy też o starości, chorobie, nędzy, które stawały przed nim z posępną oczywistością nocnego widma, czy o paszporcie, Paryżu, czy też po prostu o tym, że we wzorze dywanika dokładnie mieści się czubek buta, że warto by napić się zimnego piwa, że gość zasiedział się i nie wychodzi – Bóg to raczy wiedzieć; Ganin jednak, spoglądając na jego dużą, pochyloną głowę, na starczy meszek w uszach, na ramiona, zgarbione od literackich utrudzeń, poczuł nagle taki smutek, że stracił ochotę do opowieści o rosyjskim lecie, o ścieżkach w parku, a zwłaszcza o wczorajszym zdumiewającym zdarzeniu.

– Pójdę już. Niech pan dobrze śpi, panie Antoni.

– Dobranoc, Lowuszka – westchnął Podtiagin. – Przyjemnie sobie pogadaliśmy. Pan przynajmniej nie pogardza mną za to, że wziąłem pieniądze od Kunicyna.

I dopiero w ostatniej chwili, już na progu pokoju, Ganin przystanął i powiedział:

– Czy pan wie, panie Antoni? Mam nowy cudowny romans. Właśnie do niej idę. Jestem bardzo szczęśliwy.

Podtiagin skinął głową życzliwie.

– Tak, tak. Proszę przekazać ode mnie ukłony. Nie mam zaszczytu znać, ale mimo to proszę przekazać ukłony.

6

To dziwne, ale nie pamiętał, kiedy właściwie zobaczył ją po raz pierwszy. Może na letnisku, na koncercie, który urządzono w dużej szopie na łące. Może widział ją przelotnie już przedtem. Było tak, jakby znał jej śmiech, delikatną smagłość i dużą kokardę już wtedy, gdy mu student-sanitariusz przy tamtejszym żołnierskim lazarecie opowiadał o „ładnej i miłej" panience – tak ją student określił – a rozmawiali o tym przecież jeszcze przed koncertem. Ganin na próżno wytężał teraz pamięć: tego najpierwszego spotkania nie mógł sobie odtworzyć. Czekał przecież na nią tak zachłannie, tak wiele w owych szczęśliwych dniach po tyfusie myślał o niej, że na długo przedtem, nim ją zobaczył, stworzył sobie jedyne o niej wyobrażenie, i teraz, po wielu latach, wydawało mu się, że spotkanie, które mu się zwidywało, i spotkanie rzeczywiste zlewają się, niepostrzeżenie przemieniają jedno w drugie, żywa bowiem była tylko płynnym przedłużeniem zwiastującej ją postaci.

Lipcowego wieczoru Ganin pchnął żelazne, śpiewnie skrzypiące drzwi frontowego ganku i wyszedł w błękitniejący zmierzch. O zmierzchu rower toczył się ze szczególną lekkością, opona z szelestem wymacywała każde wzniesienie i każdą krzywiznę w zdeptanej ziemi na skraju drogi. Kiedy przemknął obok ciemnej stajni, tchnęło stamtąd ciepłem, parskaniem, delikatnym postukiwaniem przestępujących kopyt. Potem drogę ogarnęły z obu stron bezszelestne o tej godzinie brzozy, opodal, pośród łąk, jaśniało łagodne światło, jakby na gumnie tlił się pożar, a ciemnymi polami do stojącej samotnie szopy sunęli w rozsypce, nieśpiesznie, rozgwarzeni świątecznie ludzie.

Wewnątrz sklecono estradę i rozstawiono ławki, światło opływało głowy i ramiona, pobłyskiwało w oczach; pachniało landrynkami i naftą. Zebrało się sporo ludzi: w głębi rozsiedli się chłopi i baby, pośrodku letnicy i letniczki, na przedzie zaś, na białych parkowych ławkach, koło dwudziestu żołnierzy z wiejskiego lazaretu – nastroszonych, przycichłych, o zupełnie okrągłych, ogolonych głowach, rysujących się na tle szarzejącego błękitu. W przyozdobionych jedliną ścianach widniały gdzieniegdzie szpary, przez które zaglądała gwiaździsta noc, i czarne cienie chłopaków, którzy po drugiej stronie wdrapali się na wysoko spiętrzone kłody.

Przybyły z Petersburga bas, chudy, o końskiej twarzy, wydawał głuche grzmoty; szkolny chór, posłuszny śpiewnemu tonowi kamertonu, wtórował mu.

Pośród żółtego, gorącego blasku, pośród dźwięków, które stawały się widzialne w postaci fałdek pąsowych

53

i srebrzystych chust, trzepoczących rzęs, czarnych, sięgających górnych belek cieni, przesuwających się w powiewach nocnego wietrzyka, pośród migotania i jarmarcznej muzyki, wśród tych wszystkich ramion i głów, w ogromnej, wypełnionej po brzegi szopie istniało dla Ganina tylko jedno: przed sobą widział kasztanowy warkocz przewiązany czarną wstążką o lekko wystrzępionych brzegach, głaskał spojrzeniem ciemny blask włosów, dziewczęco gładkich na ciemieniu. Kiedy zwracała twarz w bok, kierując ku sąsiadce roześmiane spojrzenie, widział też ciemny rumieniec jej policzka, kącik pałającego tatarskiego oka, delikatne wygięcie nozdrza, ściągającego się lub rozdymającego w śmiechu.

Potem, gdy wszystko się skończyło i ogromny, należący do fabryki samochód tajemniczo oświetliwszy trawę, a potem uderzeniem jasności oślepiwszy śpiącą brzozę i mostek nad rowem, uwiózł stołecznego basa, i gdy w granatowy mrok po zroszonej koniczynie popłynęły bielejące chybotliwie i odświętnie letniczki, i ktoś w ciemności zapalał papierosa, trzymając rozbłysły płomyczek w stulonych dłoniach przy oświetlonej twarzy – Ganin, wzruszony i samotny, ruszył do domu, prowadząc trzymany za siodełko, lekko terkoczący szprychami rower.

Okno dużej, staroświeckiej ubikacji w skrzydle domu, między komórką na rupiecie a pokoikiem gosposi, wychodziło na zaniedbany zakątek sadu, gdzie ocieniona żelaznym daszkiem czerniała nad studnią para kół, a po ziemi między obnażonymi korzeniami trzech szeroko rozrośniętych topoli biegły drewniane rynny. Okno było różnobarwne i kolorowy kopijnik objawiał na szkle swą kwadratową brodę i potężne łydki, dziwnie lśniąc w mdłym świetle opatrzonej metalową tarczą odblaskową lampy naftowej, wiszącej obok ciężkiego aksamitnego sznura: gdy się zań pociągnęło, w tajemniczych głębiach dębowego siedziska rozlegało się wilgotne huczenie, głuche odgłosy połykania. Ganin otworzył szeroko skrzydło barwnego okna, usiadł na parapecie i podciągnął nogi – aksamitny sznur chwiał się lekko – wygwieżdżone niebo pomiędzy czarnymi topolami kazało głęboko zaczerpnąć tchu. Właśnie chwilę, gdy siedział na parapecie ponurej dębowej ubikacji i rozmyślał o tym, że zapewne nigdy, przenigdy nie pozna panny z czarną wstążką na delikatnym karku, i daremnie oczekiwał, ażeby wśród topoli zakląskał słowik Feta* – tę właśnie chwilę Ganin słusznie uważał teraz za najważniejszą i najwznioślejszą w swoim życiu.

Nie pamiętał, kiedy zobaczył ją znowu – następnego dnia czy w tydzień później. O zachodzie, przed wieczorną herbatą, wskakiwał na sprężynujący skórzany klin siodełka, wpierał ręce w kierownicę i pędził na wprost zorzy. Zawsze wybierał tę samą drogę, okólną, prowadzącą obok dwóch wsi rozdzielonych sosnowym lasem, a potem szosą, wśród pól, i dalej do domu, przez dużą wieś Woskriesieńsk, leżącą nad rzeką Oriedież, którą opiewał Rylejew**. Znał tę drogę, to wąską i biegnącą wzdłuż niebezpiecznego rowu, to brukowaną polnymi kamieniami, po których skakało przednie koło, to zrytą podstępnymi koleinami, to znów gładką, różowawą, twardą – znał tę drogę dotykiem i wzrokiem, jak zna się żywe ciało, i sunął nią bez namysłu, wtłaczając w szeleszczącą pustkę uległe naciskowi stóp pedały.

---

* Afanasij Fet (1820–1892), poeta rosyjski (przyp. tłum.).
** Kondratij Rylejew (1795–1826), poeta rosyjski (przyp. tłum.).

W sosnowym lasku, na chropawych pniach wieczorne słońce kładło się ogniście rumianymi pasmami. Z ogródków letniskowych domów docierał stukot krokietowych kul: do ust i oczu wpadały drobne muszki.

Czasami zatrzymywał się na szosie przy piramidce tłucznia, nad którym huczał czule samotny, łuszczący się sinawymi strupami słup telegraficzny, i opierając się o rower, spoglądał przez pola na skraj lasu, jaki znaleźć można tylko w Rosji, odległy, blankowany, czarny, a złoto zachodu nad nim przecinał jeden tylko fiołkowy obłok, spod którego ognistym wachlarzem wybiegały promienie. Spoglądając na niebo i słuchając, jak daleko, daleko, we wsi, marzycielsko ryczy krowa, usiłował zrozumieć, co to wszystko znaczy – to niebo i pola, i huczący słup; wydawało się, że już za chwilę zrozumie – nagle jednak zaczynało mu się kręcić w głowie i świetlista udręka wydawała się nie do zniesienia.

Nigdy nie wiedział, gdzie ją spotka, gdzie wyprzedzi, na którym zakręcie drogi, w tym zagajniku czy w następnym. Mieszkała w Woskriesieńsku i o tej samej co on godzinie ruszała na wyprawę przez pustynię słonecznego wieczoru. Dostrzegał ją z daleka i piersi od razu ogarniał mu chłód. Szła szybko, z rękami w kieszeniach dobranej kolorem do spódnicy ciemnogranatowej kurteczki, nałożonej na białą bluzkę, i Ganin, dopędzając ją niczym lekki wiatr, widział tylko fałdki granatowego materiału, lekko napiętego i mieniącego się na jej plecach, i czarną jedwabną kokardę o rozłożonych skrzydłach. Dopędziwszy pannę, nigdy nie zaglądał jej w twarz i udawał, że całkowicie pochłania go jazda, choć na chwilę przedtem wyobrażając sobie to spotkanie, przysięgał, że uśmiechnie się do niej i pozdrowi ją. Wydawało mu się w owych dniach, że ma z pewnością niezwykłe i dźwięczne imię, gdy zaś dowiedział się, również od owego studenta, że na imię jej Maszeńka, wcale się nie zdziwił, jakby z góry o tym wiedział – i to zwyczajne imię zadźwięczało dla niego po nowemu, nabierając pełnych uroku znaczeń.

– Maszeńka, Maszeńka – wyszeptał Ganin. – Maszeńka... – i zaczerpnął powietrza, a potem zamarł, wsłuchując się w bicie serca. Było około trzeciej w nocy, pociągi nie przejeżdżały, wydawało się więc, że dom się zatrzymał. Na krześle, rozrzuciwszy ręce niczym znieruchomiały w modlitwie człowiek, niewyraźnie bielała w ciemności koszula.

– Maszeńka – powtórzył znów Ganin, usiłując włożyć w te trzy sylaby wszystko, co w nich dawniej śpiewało – wiatr, huczenie słupów telegraficznych, szczęście – i jakiś jeszcze potajemny dźwięk, stanowiący życie tego słowa. Leżał na wznak, wsłuchując się w swoją przeszłość. Nagle za ścianą rozległo się delikatne, bardzo ciche i natrętne: tuu... tu... tu-tu... To Ałfierow myślał o sobocie.

7

Rankiem następnego dnia, w środę, rude łapsko Eriki wsunęło się do pokoju drugiego kwietnia i upuściło na podłogę podłużną kopertę koloru bzu. Na kopercie Ganin rozpoznał bez wzruszenia pochyłe, duże, bardzo równe pismo. Znaczek nalepiony był do góry nogami, w rogu zaś gruby palec Eriki zostawił tłusty ślad. Koperta była mocno uperfumowana i Ganin pomyślał mimochodem, że perfumować list to jakby opryskać perfumami buty po to, by w nich przejść przez ulicę. Wydął policzki, wypuścił powietrze i wsunął nierozpieczętowany list do kieszeni. Po kilku minutach znów go wyjął, chwilę obracał w dłoniach i rzucił na stół. Potem przeszedł się ze dwa razy po pokoju.

Wszystkie drzwi pensjonatu były otwarte. Odgłosy porannego sprzątania mieszały się z hałasem pociągów, które korzystając z powietrznych zawirowań, przetaczały się przez wszystkie pokoje. Ganin, który poranki spędzał w domu, sam zazwyczaj wymiatał śmieci i słał łóżko. Uprzytomnił sobie, że już drugi dzień nie sprzątał pokoju, i wyszedł na korytarz w poszukiwaniu szczotki i ścierki.

Pani Lidia z wiadrem w ręku przemknęła koło niego jak mysz i w biegu spytała:

– Czy Erika oddała panu list?

Ganin skinął w milczeniu i wziął szczotkę do podłogi leżącą na dębowym kufrze. W lustrze zobaczył wnętrze pokoju Alfierowa, którego drzwi otwarte były na oścież. W tej słonecznej głębi – dzień był niezwykle pogodny – skośny stożek rozświetlonego pyłu przechodził przez róg biurka i Ganin z dręczącą wyrazistością wyobraził sobie fotografie, które Alfierow najpierw mu pokazywał i które z takim wzruszeniem oglądał on sam, gdy przeszkodziła mu Klara. Na tych zdjęciach Maszeńka była dokładnie taka, jaką ją pamiętał, i teraz strach było pomyśleć, że jego przeszłość leży w cudzym biurku.

Odbicie w lustrze zatrzasnęło się: to pani Lidia, przemknąwszy mysimi kroczkami przez korytarz, pchnęła otwarte drzwi.

Ganin ze szczotką w ręku wrócił do swego pokoju. Na stole widniała plama koloru bzu. Przypomniał sobie – jako że myśli wzbudzone przez tę plamę i odbicie biurka w lustrze szybko to skojarzyły – inne, bardzo stare listy, które przechowywał w czarnym portfelu, leżącym na dnie walizki obok krymskiego browninga.

Zgarnął podłużną kopertę ze stołu, łokciem otworzył szerzej skrzydło okna i silnymi palcami rozerwał list wzdłuż i wszerz, potem jeszcze każdą jego cząstkę, puścił strzępy na wiatr i papierowe śnieżynki pomknęły, lśniące, w słoneczną przepaść. Jeden strzęp frunął na parapet i Ganin przeczytał na nim kilka okaleczonych linijek:

        wiście, zdołam Ci
        iłość. O tym jed
        yś Ty był szczę

Prztyknięciem strącił go z parapetu w przepaść, skąd wiało zapachem węgla, wiosenną przestrzenią i, z ulgą poruszywszy ramionami, zabrał się do sprzątania pokoju.

Potem słyszał, jak kolejno wracali na obiad sąsiedzi, jak Alfierow śmiał się głośno, jak Podtiagin coś mamrotał. Trochę później Erika wyszła na korytarz i ponuro załomotała w gong.

Przy drzwiach jadalni dogonił Klarę, która spojrzała na niego z przestrachem. Uśmiechnął się do niej, i to tak mile i serdecznie, że Klara pomyślała: „Niechby nawet sobie był złodziejem, ale drugiego takiego nie ma". Ganin otworzył drzwi, a ona pochyliła głowę i przeszła obok niego do jadalni. Wszyscy siedzieli już na swoich miejscach, a pani Lidia, trzymając w drobnej starczej dłoni olbrzymią łyżkę, smętnie nalewała zupę.

Podtiagin znów nic dziś nie załatwił. Starszemu panu rzeczywiście się nie wiodło. Francuzi udzielili mu zgody na wjazd, a Niemcy z jakiegoś powodu nie wypuszczali go. Tymczasem pieniędzy miał akurat tyle, żeby wyjechać, gdyby jednak ta mitręga potrwała jeszcze tydzień, pieniądze rozeszłyby się na życie i o Paryżu wtedy ani marzyć. Jedząc zupę, opowiadał z jakimś smutnym, marudnym humorem, jak go przepędzano z jednego wydziału do drugiego, jak nie był w stanie wyjaśnić, o co mu chodzi, i jak wreszcie skrzyczał go zmęczony i poirytowany urzędnik.

Ganin spojrzał na niego i powiedział:

– Jutro, panie Antoni, pojedziemy tam razem. Mam dość czasu. Pomogę panu dogadać się z nim.

Ganin rzeczywiście dobrze mówił po niemiecku.

– No cóż, dziękuję – odpowiedział Podtiagin i znów, jak wczoraj, spostrzegł, że twarz Ganina promienieje. – Bo to, proszę pana, aż się płakać chce. Znowu stałem w kolejce dwie godziny i wróciłem z niczym. Dziękuję, Lowuszka.

– Moja żona też będzie miała podobne kłopoty... – zaczął Ałfierow. Ganinowi zaś przydarzyło się to, co mu się nigdy nie zdarzało. Poczuł, że nieznośny war powoli zalewa mu twarz, że gorąco łaskocze mu czoło, jakby napił się octu. Idąc na obiad, nie pomyślał o tym, że ci ludzie, cienie jego wygnańczego snu, będą rozmawiać o jego prawdziwym życiu – o Maszeńce. I ze zgrozą, ze wstydem przypomniał sobie, że przedwczoraj, nie wiedząc jeszcze, o kim mówi, sam kpił wraz z innymi z żony Ałfierowa. Dziś też ktoś mógł uśmiechnąć się drwiąco.

– O, ona jest rezolutna – mówił tymczasem Ałfierow.

– Nie pozwoli się skrzywdzić. Moja żoneczka nie pozwoli się skrzywdzić.

Kolin i Gornocwietow spojrzeli po sobie porozumiewawczo i zachichotali... Ganin, przygryzając wargi, z opuszczonymi oczyma toczył kulkę z chleba. Naszła go chęć, żeby wstać i odejść, ale się przemógł. Uniósłszy głowę, zmusił się, by spojrzeć na Ałfierowa, i spojrzawszy, zdumiał się, że Maszeńka mogła wyjść za tego jegomościa z rzadką bródką i świecącym grubym nosem. Myśl, że siedzi obok mężczyzny, który dotykał Maszeńki, zna jej wargi, jej osobliwe słówka, śmiech, ruchy i teraz na nią czeka – myśl ta była okropna, zarazem jednak czuł jakąś przejmującą dumę, wspominając, że to jemu, a nie mężowi, oddała Maszeńka porę swego niepowtarzalnego kwitnienia.

Po obiedzie wyszedł, żeby się przejść, a potem wspiął się na imperiał autobusu. W dole płynęły ulice, po słonecznych lustrach asfaltu rozbiegały się czarne figurki, autobus kołysał się, dudnił – i Ganinowi wydawało się, że przesuwające się przed nim obce miasto to tylko ruchoma fotografia. Potem, wróciwszy do domu, widział, jak Podtiagin puka do pokoju Klary, i Podtiagin też wydał mu się przypadkowym i niepotrzebnym cieniem.

– A ten znów jest w kimś zakochany – kiwnął w stronę drzwi Podtiagin, popijając herbatę u Klary. – Może w pani?

Klara odwróciła się, jej obfite piersi uniosły się i opuściły, nie wierzyła, że to możliwe; lękała się tego, lękała się Ganina, myszkującego w cudzym biurku, ale pytanie Podtiagina sprawiło jej przyjemność.

– Może w pani, Klaruniu? – powtórzył, dmuchając na herbatę i z ukosa spoglądając na Klarę przez pince-nez.

– On wczoraj zerwał z Ludmiłą – powiedziała nagle Klara, czując, że Podtiaginowi można powierzyć sekret.

– Tak też sobie myślałem – skinął starszy pan, z przyjemnością pociągając herbatę. – Dlatego tak promienieje. Żegnaj, co stare, witaj, co nowe. Czy słyszała pani, co mi dziś zaproponował? Że jutro pójdzie razem ze mną na policję.

– Będę u niej wieczorem – w zamyśleniu powiedziała Klara. – Biedaczka. Mówiła przez telefon głosem jak zza grobu.

Podtiagin westchnął:

– No cóż, to sprawy młodych. Pani koleżanka pocieszy się. Wszystko jest darem losu. A ja, Klaruniu, ja niedługo umrę...

– Bóg z panem, panie Antoni, co za głupstwa.

– Nie, to nie głupstwa. Dziś w nocy znów miałem atak. Serce miałem to w gardle, to gdzieś pod łóżkiem...

– Biedny pan jest – zaniepokoiła się Klara. – Tu przecież trzeba lekarza...

Podtiagin uśmiechnął się.

– Żartowałem. Przeciwnie, od kilku dni jest mi o wiele lepiej. Atak to głupstwo. Zmyśliłem wszystko przed chwilą, żeby zobaczyć, jakie wielkie zrobi pani oczy. Gdybyśmy, Klaruniu, byli w Rosji, starałby się o panią lekarz ziemstwa albo jakiś poważny architekt. Czy pani kocha Rosję?

– Bardzo.

– No właśnie, Rosję trzeba kochać. Rosja zginie bez naszej emigranckiej miłości. Tam nikt jej nie kocha.

– Mam już dwadzieścia sześć lat – powiedziała Klara. – Całymi rankami piszę na maszynie i pięć razy w tygodniu pracuję do szóstej. To mnie bardzo męczy. W Berlinie jestem zupełnie sama. Jak pan sądzi, panie Antoni, czy to długo potrwa?

– Nie wiem, moja kochana – westchnął Podtiagin. – Powiedziałbym ci, gdybym wiedział. Też pracowałem, myślałem o założeniu pisma... A teraz zostałem na lodzie. Żebym tylko, z pomocą bożą, dojechał do Paryża. Tam łatwiej żyć. Jak pani sądzi, czy dojadę?

– Ależ, panie Antoni, oczywiście. Jutro wszystko się ułoży.

– Łatwiej i chyba taniej – powiedział Podtiagin, wygrzebując łyżeczką nierozpuszczony kawałeczek cukru i myśląc o tym, że w tym porowatym kawałeczku jest coś rosyjskiego, coś z wiosny, kiedy topnieje śnieg.

8

Po zerwaniu z Ludmiłą dzień Ganina stał się jeszcze bardziej pusty, ale on sam nie doznawał smutku bezczynności. Wspomnienia tak go absorbowały, że nie czuł upływu czasu. Cień jego mieszkał w pensjonacie pani Dorn, on sam zaś był w Rosji i przeżywał swoje wspomnienia jak rzeczywistość. Czasem stawał się dla niego tok rozrastającego się wspomnienia. I choć jego romans z Maszeńką trwał w owych odległych latach nie trzy dni ani tydzień, ale o wiele dłużej, nie czuł rozziewu między czasem rzeczywistym a tym innym, w którym żył, gdyż jego pamięć nie odnotowywała każdego mgnienia, lecz przeskakiwała przez puste, niezapamiętane obszary, rozświetlając jedynie to, co związane było z Maszeńką, i dlatego nie istniał rozziew między biegiem dawnego życia a życia obecnego.

Wydawałoby się, że to minione, doprowadzone do doskonałości życie przewija się niczym stały ornament przez berlińską codzienność. Bez względu na to, co Ganin robił w owych dniach, życie to nieustannie go zagrzewało.

Było to nie po prostu wspomnienie, ale życie o wiele bardziej rzeczywiste, bardziej „intensywne" – jak się pisze w gazetach – niż życie jego berlińskiego cienia. Był to zdumiewający romans, rozwijający się z prawdziwą i czułą ostrożnością.

Pod koniec lipca na północy Rosji wyczuwa się już lekkie tchnienie jesieni. Z brzóz raz po raz sfruwają drobne żółte liście; w przestrzeniach skoszonych pól jest już jesiennie, pusto i jasno. Wzdłuż skraju lasu, gdzie na wietrze lśni jeszcze wysepka ominiętej przez kosę wysokiej trawy, na bladofiołkowych poduszeczkach skabiozy śpią ociężałe trzmiele. No i pewnego razu, wieczorem, w parkowej altance...

Tak. Altanka stała na nadbutwiałych palach nad jarem i z obu stron prowadziły do niej dwa spadziste mostki, śliskie od olchowych nosków i świerkowych igieł.

W niedużych rombach białych okiennych ram tkwiły różnobarwne szybki: gdy patrzyło się przez niebieskie, wydawało się, że świat zastygł w lunatycznym omdleniu, przez żółte – wszystko było niezwykle wesołe, przez czerwone – niebo było różowe, listowie zaś miało barwę burgunda. Niektóre szybki były stłuczone, a resztki szkła osnuwały pajęczyny. Altanka była wewnątrz wybielona; na ścianach, na rozkładanym stoliku letnicy, którzy bezprawnie przedostali się do parku, pozostawiali nagryzmolone ołówkiem napisy.

Tak właśnie przedostała się tam Maszeńka z dwiema niepozornymi koleżankami. Najpierw wyprzedził ją na parkowej ścieżce biegnącej wzdłuż rzeki i przejechał tak blisko, że jej towarzyszki z piskiem odskoczyły w bok. Objechał park dookoła, przejechał środkiem, a potem z oddali, przez listowie zobaczył, że wchodzą do altanki. Oparł rower o drzewo i wszedł za nimi.

– Obcym nie wolno wchodzić do parku – powiedział cicho i ochryple – na furtce jest nawet tabliczka.

Nic na to nie odpowiedziała i tylko patrzyła roziskrzonymi, skośnymi oczyma. Wskazując na jeden z bladych napisów zapytał:

– Czy to pani zrobiła?

Napis zaś głosił: „W tej altance dwudziestego czerwca Maszeńka, Lida i Nina przeczekały burzę".

Roześmiały się wszystkie trzy i on się wtedy też roześmiał, przysiadł na stoliku, zaczął machać nogami i nagle dostrzegł poniewczasie, że czarna jedwabna skarpetka podarła mu się na kostce. Maszeńka zaś, wskazując na różową dziurkę, powiedziała nagle:

– Proszę spojrzeć, ma pan tu słoneczko.

Rozmawiali o burzy, o letnikach, o tym, że chorował na tyfus, o śmiesznym studencie z żołnierskiego lazaretu i o koncercie w szopie.

Miała śliczne, śmiało zarysowane brwi, smagłą twarz, pokrytą delikatnym jedwabistym puszkiem, przydającym policzkom szczególnego ciepła; nozdrza się jej rozdymały, gdy mówiła – ze śmieszkiem, wysysając słodycz ze źdźbła trawy, grasejującym, żywym jak srebro głosem o nieoczekiwanie ciemnych brzmieniach; na obnażonej szyi delikatnie pulsował dołeczek.

Potem, pod wieczór, odprowadzał ją i jej koleżanki do wsi i przechodząc zieloną, zachwaszczoną leśną drogą obok okulałej ławki, obwieścił z całą powagą:

– Makaron rośnie we Włoszech. Kiedy ledwie wzejdzie i jest mały, nazywają go tam wermiszelem. Co znaczy „robaczki Miszy".

Umówił się z nimi, że nazajutrz zabierze je na łódkę. Zjawiła się jednak bez koleżanek. Przy chwiejnej przystani rozwinął grzechoczący łańcuch dużej, ciężkiej mahoniowej szalupy, odrzucił brezentową płachtę, wkręcił dulki, wyciągnął z długiej skrzyni wiosła, wprawił sworzeń steru w stalowy pierścień.

Nieopodal monotonnie szumiały przepusty wodnego młyna, wzdłuż białych kaskad spadającej wody świeciły rdzawym złotem płynące sosnowe pnie.

Maszeńka usiadła przy sterze, on odepchnął się żerdzią i zaczął wolno wiosłować tuż przy skraju parku, gdzie gęste olchy odbijały się w wodzie czarnymi pawimi oczkami i polatywało wiele ciemnoniebieskich ważek. Potem skierował się na środek rzeki, meandrując pomiędzy brokatowymi wyspami mułu. Maszeńka zaś, trzymając w jednej dłoni oba końce mokrej liny sterowniczej, drugą zanurzała w wodzie, usiłując zerwać połyskliwie żółty kwiat lilii wodnej. Dulki skrzypiały pod naporem wioseł, a on to odchylał się do tyłu, to skłaniał ku przodowi, Maszeńka zaś, siedząca naprzeciw niego przy sterze, to oddalała się, to przybliżała w swojej niebieskiej kurteczce nałożonej na lekką, powiewną bluzkę.

W rzece odbijał się teraz lewy, czerwony jak terakota brzeg, porośnięty od góry świerczyną i czeremchą; na czerwonej stromiźnie wyryte były imiona i daty, w jednym miejscu zaś ktoś ze czterdzieści lat temu wyrzeźbił ogromną twarz o szerokich skułach. Prawy brzeg był płaski, pomiędzy plamistymi brzozami fioletowo ciemniały wrzosy. Potem, pod mostem, owionął ich mroczny chłód, z góry docierał ciężki stukot kopyt i kół, kiedy zaś łódka znów wypłynęła, słońce poraziło ich blaskiem, zabłysło na końcach wioseł, wychwyciło przejeżdżający właśnie po niskim moście wóz z sianem, zielone zbocze, a nad nim białe kolumny dużego, pochodzącego z czasów cara Aleksandra dworu o zamkniętych na głucho okiennicach. Potem ku samej rzece zstąpił z obu jej stron ciemny bór i łódź z łagodnym chrzęstem wpłynęła w sitowie.

W domu nikt o niczym nie wiedział, płynęło sobie letnie, znajome, miłe życie, ledwie tknięte odległą wojną, toczącą się już od roku. Stary, zielonkawoszary drewniany dom, połączony galeryjką z oficyną, spoglądał wesoło i spokojnie kolorowymi oczami swoich dwóch oszklonych werand na skraj parku i na oranżowy precel ogrodowych ścieżek, okalających czarnoziemną pstrokaciznę rabat. W biało umeblowanym salonie na haftowanej w róże serwecie leżały oprawne w marmurek tomy starych czasopism, żółty parkiet wypływał z nachylonego lustra w owalnej ramie, a dagerotypy na ścianach przysłuchiwały się, jak nabiera życia i dźwięczy stare pianino. Wieczorem wysoki, granatowo przyodziany kredensowy w nicianych rękawiczkach wynosił na werandę lampę ocienioną jedwabnym abażurem. Ganin zaś wracał do domu, żeby pochłaniać płaty zsiadłego mleka na świetlistej werandzie, gdzie na podłodze leżała trzcinowa mata, a wzdłuż kamiennych stopni schodków prowadzących do ogrodu czerniały laurowe drzewka.

Codziennie spotykał się teraz z Maszeńką po tej stronie rzeki, gdzie na zielonym wzgórzu stał opustoszały biały dwór, a przy nim inny park, większy i bardziej zapuszczony niż ten przy domu.

Przed tym cudzym dworem, usytuowanym nad rzeką na wysoko wzniesionym tarasie, stały pod lipami ławki i żelazny okrągły stół z otworem pośrodku, którym spływała woda deszczowa. Stąd, daleko w dole, widać było most przerzucony przez bagniste zakole i szosę wspinającą się do Woskriesieńska. Ten taras był ulubionym miejscem ich spotkań.

Pewnego razu, kiedy w słoneczny wieczór spotkali się tam po gwałtownej ulewie, znaleźli na ogrodowym stole ordynarny napis: wiejski łobuz połączył ich imiona krótkim, brutalnym czasownikiem, który wbrew zasadom ortografii, zaczął od litery „i". Napis zrobiony był kopiowym ołówkiem i rozmazał się nieco od deszczu. Obok niego przywarły do mokrego stołu patyczki, listki i kredowe robaczki ptasich odchodów.

Stół należał do nich, był święty, uświęcony ich spotkaniami, zaczęli więc spokojnie, w milczeniu ścierać garściami trawy wilgotną fioletową bazgraninę. Kiedy cały stół zrobił się śmiesznie fioletowy, a palce Maszeńki wyglądały tak, jakby właśnie zbierała czarne jagody, Ganin odwrócił się i spoglądając zmrużonymi oczyma na coś żółtozielonego, płynnego, skwarnego, co w zwyczajnym czasie było listowiem lipy, oznajmił Maszeńce, że od dawna ją kocha.

Tyle się całowali w te pierwsze dni swojej miłości, że Maszeńce nabrzmiewały wargi, a na karku, tak zawsze gorącym pod węzłem warkocza, pojawiały się delikatne sińce. Była zadziwiająco wesoła, bardziej śmieszka niż kpiara. Lubiła piosenki, porzekadła, różne dowcipne słówka i wiersze. Piosenka bawiła ją przez dwa czy trzy dni, a potem ulatywała, zjawiała się nowa. Tak właśnie podczas najpierwszych spotkań przez cały czas powtarzała, grasejując, z przejęciem: „Związali Wanię mocnym rzemieniem, długo dręczyli Wanię w więzieniu" – i śmiała się gruchającym, piersiowym śmiechem: „Ale pysznie!". Po rowach dojrzewały wówczas ostatnie, słodkie i wodniste maliny; bardzo je lubiła i w ogóle przez cały czas coś ssała – źdźbło, listek, cukierek. Landrynki trzymała po prostu w kieszeni, zlepione w bryłki, do których przywierały nitki i różne okruchy. Używała niedrogich, słodko pachnących perfum „Tagor". Ganin i teraz usiłował uchwycić ich woń, złączoną z rześkością powietrza jesiennego parku, jak wiadomo jednak, pamięć wskrzesza wszystko prócz zapachów, nic za to nie wskrzesza przeszłości w takiej pełni, jak związany z nią niegdyś zapach.

Ganin na mgnienie jakby pozostał w tyle za wspomnieniem i pomyślał, jak mógł przeżyć tyle lat bez myśli o Maszeńce, po czym zaraz ją dopędził: biegła po szeleszczącej, ciemnej ścieżce, czarna kokarda migała niczym olbrzymia ćma żałobnica – a Maszeńka nagle przystanęła, uchwyciła się jego ramienia i uniósłszy zgiętą nogę, jęła trzeć ubrudzony trzewik o pończochę drugiej nogi – nieco wyżej, pod fałdami granatowej spódnicy.

Ganin usnął w ubraniu na nierozesłanym łóżku, jego wspomnienie rozpłynęło się i przemieniło w sen. Sen niezwykły, przedziwny, i nie wiedziałby, o czym śnił, gdyby o świcie nie obudził go dziwny łoskot, jakby gromu. Uniósł się i nasłuchiwał. Ten grom to było niewyraźne postękiwanie i szmer za drzwiami: ktoś tam głośno w nie chrobotał; klamka, ledwie połyskująca w mgle przedświtu, nagle opadła i znów się uniosła, ale drzwi, choć niezamknięte na klucz – nie otwarły się. Ganin, poruszając się bezgłośnie i z miłym przeczuciem awanturki, zsunął się z łóżka, i zacisnąwszy na wszelki wypadek lewą dłoń w pięść, prawą mocno szarpnął drzwi.

Ktoś, niby ogromna szmaciana lalka, upadł z rozpędu twarzą na jego ramię. Zaskoczony Ganin omal go nie uderzył, natychmiast jednak wyczuł, że ten człowiek pada na niego tylko dlatego, że nie może ustać na nogach. Odsunął go ku ścianie i po omacku znalazł wyłącznik.

Opierając się głową o ścianę i chwytając powietrze otwartymi ustami, stał przed nim stary Podtiagin, bosy, w długiej nocnej koszuli, rozchełstanej na siwej piersi. Jego oczy bez pince-nez, obnażone, oślepłe, nie mrugały, twarz miała barwę wyschłej gliny, duży brzuch przesuwał się jak góra pod napiętym płótnem koszuli.

Ganin od razu zrozumiał, że stary pan znów ma atak serca. Podtrzymał go i Podtiagin, ciężko przesuwając sine nogi, dobrnął do fotela i opadł nań, poszarzałą twarz nagle okrył pot.

Ganin szybko zanurzył w dzbanku ręcznik i przyłożył nabrzmiałe, mokre fałdy do nagiej piersi starca. Wydało mu się, że w tym dużym, napiętym ciele z gwałtownym chrzęstem popękają lada chwila wszystkie kości.

Nagle Podtiagin odetchnął i ze świstem wypuścił powietrze. Nie było to po prostu odetchnięcie, ale niebywała rozkosz, sprawiająca, że jego rysy odżyły. Ganin, uśmiechając się krzepiąco, wciąż przyciskał do jego ciała mokry ręcznik, masował mu pierś i boki.

– Le...piej mi – wytchnął starzec.

– Niech się pan nie rusza – powiedział Ganin. – To zaraz minie.

Podtiagin dyszał i myczał, poruszając dużymi, wykrzywionymi palcami bosych stóp. Ganin okrył go kołdrą, podał mu wody, otworzył szerzej okno.

– Nie mog...łem złapać tchu – z trudem wymówił Podtiagin. – Nie mogłem do pana wejść... tak osłabłem. Nie chciałem... umierać sam...

– Niech pan siedzi spokojnie, panie Antoni. Niedługo się rozwidni. Wezwiemy lekarza.

Podtiagin wolno potarł czoło dłonią, oddychał teraz trochę równiej.

– Już przeszło – powiedział. – Na jakiś czas przeszło. Skończyły mi się krople. Dlatego było ze mną tak źle.

– Kupimy krople. Chce pan może położyć się na moim łóżku?...

– Nie... Posiedzę trochę i wrócę do siebie. Już mi przeszło. A jutro rano...

– Odłożymy to do piątku – powiedział Ganin. – Wiza nie ucieknie.

Podtiagin oblizał wyschnięte wargi grubym, gruzłowatym językiem:

– W Paryżu, Lowuszka, od dawna na mnie czekają. Ale siostrzenica nie ma pieniędzy, żeby mi wysłać na podróż. Ee...ch...

Ganin usiadł na parapecie, myśląc mimochodem: „Tak właśnie siedziałem bardzo niedawno, ale gdzie to było?". I nagle przypomniał sobie – różnokolorowe wnętrze altanki, biały składany stolik, dziurkę w skarpetce.

– Niech pan, mój drogi, zgasi światło – poprosił Podtiagin. – Razi w oczy.

W półmroku wszystko wydało się bardzo dziwne: dudnienie pierwszych pociągów, duży, siwy cień na fotelu i lśnienie rozlanej na podłodze wody. Wszystko to było o wiele bardziej tajemnicze i mgliste niż owa nieśmiertelna realność, którą żył Ganin.

9

Rankiem Kolin parzył dla Gornocwietowa herbatę. Tego czwartku Gornocwietow miał wcześnie pojechać za miasto, żeby spotkać się z baletnicą kompletującą zespół, i dlatego gdy wszyscy jeszcze spali, Kolin w niesamowicie brudnym japońskim szlafroczku i w starych pantoflach wsuniętych na bose stopy powlókł się do kuchni po wrzątek. Jego okrągła, niezbyt inteligentna, bardzo rosyjska twarz o zadartym nosie i niebieskich, melancholijnych oczach (sądził, że podobny jest „na poły do pierrota, na poły gawrosza" z Verlaine'a) była wymięta od snu i błyszcząca, jasne włosy, nierozdzielone jeszcze przedziałkiem, spadały mu na czoło, rozwiązane sznurowadła uderzały o podłogę jak nieśpieszny deszczyk. Nastawiając czajnik, po kobiecemu wydymał wargi, a potem zaczął cicho i w skupieniu coś podśpiewywać. Gornocwietow kończył się ubierać, wiązał na kokardę kolorowy krawat, złoszcząc się na krostę, ściętą przed chwilą podczas golenia i teraz wydzielającą przez grubą warstwę pudru żółtą surowicę. Cerę miał ciemną, rysy twarzy regularne, długie, podwinięte rzęsy nadawały jego brązowym oczom jasny, niewinny wyraz, czarne, krótkie włosy miał lekko sfalowane, szyję z tyłu wygoloną jak stangret, nosił baki, dwoma ciemnymi pasmami rysujące się wzdłuż uszu. Był, jak i jego przyjaciel, niezbyt wysoki, bardzo szczupły, miał doskonale rozwinięte mięśnie nóg, ale bardzo wąską pierś i ramiona.

Zaprzyjaźnili się stosunkowo niedawno, tańczyli w rosyjskim kabarecie gdzieś na Bałkanach i przed dwoma mniej więcej miesiącami przyjechali do Berlina w poszukiwaniu teatralnej fortuny. Szczególny ton, tajemnicza manieryczność wyróżniały ich nieco spośród innych pensjonariuszy, uczciwie jednak rzekłszy, nie sposób było przyganić gołębiemu szczęściu tej nikomu niewadzącej pary.

Po odejściu przyjaciela Kolin, zostawszy sam w niesprzątniętym pokoju, otworzył etui z przyborami do paznokci i nucąc półgłosem, zaczął wycinać sobie skórki. Nie wyróżniał się nadmierną schludnością, o paznokcie za to dbał nadzwyczajnie.

W pokoju trwał ciężki zapach oregano i potu; w mydlanej wodzie pływał pęk ściągniętych z grzebienia włosów. Baletowe fotografie na ścianach unosiły nóżkę; na stole leżał duży, rozłożony wachlarz, obok zaś – brudny, usztywniony kołnierzyk.

Kolin, przyjrzawszy się z upodobaniem pąsowemu połyskowi paznokci, starannie umył ręce, natarł twarz i szyję tak słodką, że aż mdlącą wodą toaletową i zrzuciwszy szlafrok, przeszedł się nago, na pointach, podskoczył szybko, bijąc nogą, ubrał się, upudrował nos, podmalował oczy i zapiąwszy na wszystkie guziki szary, dopasowany w talii płaszcz, wyszedł na spacer, miarowo unosząc i opuszczając koniec eleganckiej laseczki.

Wracając do domu na obiad, wyprzedził przy drzwiach frontowych Ganina, który właśnie kupił w aptece lekarstwo dla Podtiagina. Stary pan czuł się dobrze, coś tam pisał, chodził po pokoju, Klara jednak po naradzie z Ganinem postanowiła nie wypuszczać go dziś z domu.

Kolin, nadszedłszy z tyłu, ścisnął Ganinowi rękę nad łokciem. Ten obejrzał się.

– To pan, Kolin... czy spacer się udał?

– Alek dziś wyjechał – powiedział Kolin, wchodząc po schodach razem z Ganinem. – Strasznie się denerwuję, czy dostanie engagement...

– Tak, właśnie – powiedział Ganin, który nie miał pojęcia, o czym z nim rozmawiać.

Kolin roześmiał się.

– Alfierow znowu wczoraj utknął w windzie. Teraz winda nie działa...

Powiódł rączką laski po poręczy i spojrzał na Ganina z nieśmiałym uśmiechem.

– Czy mogę trochę u pana posiedzieć? Jakoś bardzo mi dziś nudno...

„Tylko, bracie, nie zabieraj się z tych nudów do flirtowania ze mną" – odburknął w myślach Ganin, otwierając drzwi pensjonatu, a głośno odpowiedział:

– Niestety, jestem zajęty. Może innym razem.

– Jaka szkoda – przeciągle wyrzekł Kolin, wchodząc za Ganinem i przymykając za sobą drzwi.

Drzwi nie dały się zamknąć, ktoś z tyłu wyciągnął dużą brązową dłoń i berliński bas zagrzmiał:

– Chwileczkę, panowie.

Ganin i Kolin obejrzeli się. Za progiem stał wąsaty, tęgi listonosz.

– Czy tu mieszka Herr Alferow?

– Pierwsze drzwi na lewo – powiedział Ganin.

– Dziękuję – śpiewnie zahuczał listonosz i zapukał do wskazanego pokoju.

75

Była to depesza.

– Co to jest? Co to jest? Co to jest? – mamrotał w panice Alfierow, otwierając ją nieposłusznymi palcami. Z przejęcia nie od razu zdołał odczytać nalepioną tasiemkę bladych nierównych liter: „psyjezdam sobote 8 rano". Alfierow nagle zrozumiał, westchnął i przeżegnał się.

– Dzięki ci, Boże... przyjeżdża...

Z szerokim uśmiechem przysiadł na łóżku, pocierając chude uda, i zaczął kiwać się w przód i w tył. Jego wodnistoniebieskie oczy szybko mrugały, bródka barwy zbutwiałego siana złociła się w ukośnym promieniu słońca.

– *Sehr gut* – mamrotał. – Sobota jest pojutrze. *Sehr gut*. Jak wyglądają moje buty!... Maszeńka będzie się dziwić. To nic, jakoś przeżyjemy. Wynajmiemy mieszkanko, bardzo tanie, ona zadecyduje. A na razie pomieszkamy sobie tutaj. Dobrze, że między pokojami są drzwi.

Po pewnej chwili wyszedł na korytarz i zapukał do sąsiedniego pokoju.

Ganin pomyślał: „Co jest, u licha, że mi ktoś ciągle dziś zawraca głowę?".

– Otóż, Glebie Lwowiczu – bez ceregieli zaczął Alfierow, ogarniając pokój spojrzeniem – kiedy pan się wyprowadza?

Ganin spoglądał nań z irytacją.

– Mam na imię Lew. Jeśli pan łaskaw zapamiętać.

– Czy pan się wyprowadzi przed sobotą? – zapytał Alfierow, a w myślach rozważał: „Łóżko trzeba będzie ustawić inaczej, szafę przesunąć, odsłonić drzwi...".

– Tak, wyprowadzę się – odparł Ganin i znów jak wówczas, przy obiedzie, poczuł się bardzo niezręcznie.

– To świetnie – z ożywieniem podchwycił Alfierow. – Przepraszam, że niepokoiłem, Glebie Lwowiczu.

I po raz ostatni obrzuciwszy pokój spojrzeniem, wyszedł z hałasem.

– Głupiec... – wymamrotał Ganin. – Do diabła z nim. O czym mi się przed chwilą tak przyjemnie myślało?... Ach, tak... noc, deszcz, biała kolumnada...

– Pani Lidio, pani Lidio! – wzywał głośno oleisty głos Alfierowa.

„Nie sposób się od niego odczepić – pomyślał ze złością Ganin. – Nie będę tu dziś na obiedzie. Dosyć mam tego".

Asfalt na ulicy połyskiwał fioletem; słońce wplątywało się w koła samochodów. Obok knajpki znajdował się garaż; szczelina jego bramy ziała ciemnością i delikatnie tchnęła zapachem karbidu. Ten przypadkowy zapach pomógł Ganinowi przypomnieć sobie jeszcze wyraźniej tamten rosyjski deszczowy sierpień, tamten nurt uszczęśliwienia, w który przez cały ranek tak natarczywie wdzierały się cienie jego berlińskiego życia.

Wychodził z jasności dworu w ciemny, rozszemrany mrok, zapalał delikatny płomyczek w latarce roweru – i teraz, gdy przypadkiem odetchnął zapachem karbidu, wszystko sobie od razu przypomniał: mokra trawa, chłoszcząca po przesuwającej się łydce, po szprychach roweru, krążek mlecznego światła, wchłaniającego i rozpraszającego mrok, z którego wyłaniały się to sfalowana kałuża, lśniący kamyk, oblepione nawozem belki mostu, to wreszcie obracająca się furtka, przez którą się przeciskał, zawadzając ramieniem o miękkie, mokre liście akacji.

Z płynnego mroku wyłaniały się wówczas lekko wirujące kolumny, opłynięte tym właśnie delikatnym, białawym światłem rowerowej latarki i tam, na sześciokolumnowym krytym ganku cudzego dworu o zabitych oknach, witał go wonny chłód, pomieszany zapach perfum i zmoczonego szewiotu – i ten jesienny, ten deszczowy pocałunek był tak długi i tak głęboki, że potem pływały mu w oczach jasne, drżące plamy i jeszcze mocniejszy wydawał się rozległy, wielolistny, szeleszczący poszum deszczu. Mokrymi palcami otwierał szklaną ściankę latarki i gasił płomyk. Wiatr, ciężki i wilgotny, napierał z mroku. Maszeńka, siedząc obok Ganina na łuszczącej się balustradzie, głaskała go po skroniach chłodną dłonią i w ciemnościach dostrzegał niewyraźny kontur jej zmokniętej kokardy i uśmiechnięty blask oczu.

W lipach przed gankiem, w czarnym, kłębiącym się mroku, deszczowe moce przetaczały się rozległymi zrywami, skrzypiały pnie, ujęte w żelazne kluby, podtrzymujące ich nadwątloną potęgę. Przy wtórze poszumów jesiennej nocy rozpinał jej bluzkę, całował w gorący obojczyk; milczała – połyskiwały tylko jej oczy – skóra na odsłoniętych piersiach powoli chłodniała od dotyku jego warg i wilgotnego nocnego wiatru. Prawie się do siebie nie odzywali, zbyt trudno było mówić. Kiedy wreszcie zapalał zapałkę, żeby spojrzeć na zegarek, Maszeńka mrużyła oczy i odrzucała z policzka mokre pasmo włosów. Obejmował ją jedną ręką, drugą ręką toczył, trzymając za siodełko, swój rower – w mżącym mroku oddalali się z tego miejsca, schodzili ścieżką ku mostowi i tam się żegnali – długo, gorzko, jak przed wielkim rozstaniem.

Owej czarnej, burzliwej nocy, gdy w przededniu wyjazdu do Petersburga przed rozpoczęciem roku szkolnego po raz ostatni spotkał się z nią na tym ganku z kolumnami, stało się coś strasznego i niespodziewanego, co symbolizowało, być może, wszystkie przyszłe obelżywości. Deszcz szumiał tej nocy szczególnie mocno, a spotkanie ich było wyjątkowo czułe. Nagle Maszeńka krzyknęła i zeskoczyła z poręczy. Ganin, świecąc sobie zapałką, zobaczył, że okiennica jednego z okien wychodzących na taras jest uchylona, a do czarnej szyby przywiera od wewnątrz ludzka twarz, przypłaszczając biały nos. Twarz poruszyła się i znikła, oboje jednak zdążyli rozpoznać rudawe kosmyki i odęte wargi syna stróża, dwudziestoletniego chyba wesołka i babiarza, na którego natykali się zawsze w parkowych alejach. Ganin jednym szalonym susem rzucił się do okna, przebił grzbietem dłoni szkło, które posypało się z chrzęstem, wpadł w lodowatą mgłę i z rozpędu uderzył głową w czyjąś krzepką pierś, która aż zadudniła od tego pchnięcia. W następnej sekundzie sczepili się i z łomotem potoczyli po nagim parkiecie, potrącając w ciemności martwe meble w pokrowcach, i Ganin, uwolniwszy prawą rękę, jął tłuc kamienną pięścią po mokrej twarzy, która nagle znalazła się tuż przed nim. Dopiero gdy krzepkie ciało, które przycisnął do podłogi, nagle sflaczało i zaczęło wydawać jęki, wstał i dysząc ciężko, obijając się w mroku o jakieś miękkie narożniki, dotarł do okna, wylazł znowu na taras, odnalazł szlochającą i wystraszoną Maszeńkę i wtedy dopiero zauważył, że z ust cieknie mu coś ciepłego, o żelazistym posmaku i że ręce ma pokaleczone odłamkami szkła. Rankiem zaś wyjechał do Petersburga i po drodze na stację z okna głucho i łagodnie postukującej karety zobaczył Maszeńkę idącą z koleżankami skrajem szosy. Przesłoniła ją natychmiast obita czarną skórą ścianka, a ponieważ nie był w karecie sam, nie śmiał spojrzeć przez owalne tylne okienko.

Tego ostatniego sierpniowego dnia los, wybiegając w przyszłość, kazał mu zaznać przyszłej rozłąki z Maszeńką, rozłąki z Rosją.

Była to wielka próba, tajemniczy przedsmak; płonące jarzębiny ze szczególnym smutkiem odsuwały się w szary męt i wydawało się nieprawdopodobne, że na wiosnę znów zobaczy te pola, ten głaz na nieosłoniętym pagórku, te zamyślone, ogromne słupy telegraficzne.

W petersburskim domu wszystko wydało się zaskakująco czyste, jasne i sensowne, jak to się zazwyczaj dzieje po powrocie ze wsi. Zaczęła się szkoła – był w siódmej klasie, uczył się byle jak. Spadł pierwszy śnieg i żeliwne ogrodzenia, grzbiety koni o nisko pochylonych łbach, drwa na barkach pokryły się białym, pulchnym nalotem. Maszeńka przeniosła się do Petersburga dopiero w listopadzie. Spotkali się pod łukiem arkady, gdzie w operze Czajkowskiego umiera Liza. W powietrzu, szarym jak matowe szkło, padał pionowo miękki, gruby śnieg. Podczas tego pierwszego petersburskiego spotkania Maszeńka wydała mu się trochę obca, może dlatego, że była w kapeluszu i futerku. Od tego dnia rozpoczęła się śnieżna epoka ich miłości. Trudno im było się spotykać, długie wędrowanie na mrozie było męczące, najbardziej zaś męczące było szukanie ciepłego azylu w muzeach i w kinach – nie na próżno więc w owych częstych, przejmująco czułych listach, które w puste dni pisali do siebie nawzajem (on mieszkał przy bulwarze Angielskim, ona przy Karawannej), oboje wspominali ścieżki parku i zapach opadłych liści jako coś niepojęcie wprost drogiego i bezpowrotnie minionego; być może tylko rozjątrzali swoją miłość, a może istotnie rozumieli, że prawdziwe szczęście przeminęło. Wieczorami telefonowali do siebie, żeby się dowiedzieć, czy doszedł list, gdzie i kiedy się spotkają; jej śmieszna wymowa była przez telefon jeszcze wdzięczniejsza; wypowiadała krótkie rymowanki i śmiała się ciepło, przyciskała słuchawkę do piersi, a jemu wydawało się, że słyszy bicie jej serca.

Rozmawiali tak całymi godzinami.

Chodziła owej zimy w szarym futerku, które ją trochę pogrubiało, i w zamszowych getrach, założonych na lekkie pantofelki. Nigdy nie widział jej przeziębionej czy nawet zmarzniętej. Mróz i zawieja tylko ją ożywiały i w lodowatych podmuchach, w ciemnym zaułku obnażał jej ramiona, płatki śniegu łaskotały ją, uśmiechała się przez mokre rzęsy, przytulała jego głowę, lekki śnieg osypywał się z jego karakułowej czapki na jej piersi.

Te spotkania na wietrze i mrozie udręczyły go bardziej niz ją. Czuł, że niedopełnienie tych spotkań umniejsza i zużywa miłość. Każda miłość wymaga odosobnienia, osłony, dachu nad głową, a oni go nie mieli. Rodziny ich nie znały się, owa tajemnica, tak początkowo cudowna, teraz im zawadzała. Zaczynało mu się zdawać, że wszystko odmieni się na lepsze, jeśli ona, bodaj w wynajętym na godziny pokoju, zostanie jego kochanką – i myśl ta trwała w nim, w jakiś sposób oddzielona od samego pragnienia, które, poddane torturze skąpych dotknięć, już w nim słabło.

Tak przewędrowali całą zimę, wspominając wieś, marząc o przyszłym lecie, czasami sprzeczając się i ulegając zazdrości, ściskając sobie nawzajem dłonie pod wyłysiałą derką lekkich dorożkarskich sań – na początku zaś nowego roku Maszeńkę wywieziono do Moskwy.

Dziwne, ale rozłąka ta sprawiła Ganinowi ulgę.

Wiedział, że latem wróci na to samo letnisko pod Petersburgiem, początkowo dużo o niej myślał, wyobrażając sobie nowe lato, nowe spotkania, pisał do niej wciąż równie gorące listy, a potem pisywał już rzadziej, kiedy zaś w pierwszych dniach maja przeniósł się na wieś, w ogóle przestał pisać. Wtedy właśnie zdążył zejść się i zerwać ze strojną, miłą, jasnowłosą panią, której mąż walczył w Galicji.

A potem Maszeńka wróciła.

Głos jej wybuchł słabo i daleko, w telefonie huczało jak w morskiej muszli, czasami głos jeszcze bardziej odległy i krzyżujący się z jej głosem przerywał im i prowadził z kimś rozmowę w czwartym wymiarze, aparat telefoniczny na letnisku był stary, na korbkę – między nim a Maszeńką było chyba pięćdziesiąt wiorst huczącej mgły.

– Przyjadę – krzyknął do słuchawki Ganin. – Mówię, że przyjadę. Na rowerze, w dwie godziny.

– ... nie chciał znowu do Woskriesieńska. Czy mnie słyszysz? Papa za nic nie chciał wynająć znowu domu w Woskriesieńsku. Do ciebie jest stąd pięćdziesiąt...

– Proszę koniecznie przywieźć półbuciki – łagodnie i obojętnie odezwał się ten drugi głos.

I znów wśród brzęczeń błysnęła Maszeńka, niczym w przewróconym teleskopie. Kiedy całkiem znikła, Ganin oparł się o ścianę i poczuł, że płoną mu uszy.

Wyjechał około trzeciej po południu w samej koszuli i sportowych spodenkach, w gumowych pantoflach na bosych stopach. Wiatr wiał mu w plecy, jechał szybko, wybierając gładkie przesmyki pomiędzy ostrymi kamykami na szosie, i wspominał, jak ubiegłego roku, w lipcu, przejeżdżał obok Maszeńki, jeszcze jej nie znając.

Na piętnastej wiorście pękła tylna dętka i długo ją reperował, siedząc koło rowu. Nad polami z obu stron szosy dzwoniły skowronki; w obłoku kurzu przemknął szary samochód z dwoma oficerami w sowich okularach. Mocno napompowawszy zreperowaną dętkę, ruszył dalej, czując, że się przeliczył, że spóźnił się już o godzinę. Zboczywszy z szosy, jechał przez las ścieżką, którą mu wskazał przechodzący chłop. Potem znów skręcił, ale nie tam, gdzie należało, i długo krążył, nim trafił na właściwą drogę. Odpoczął i przekąsił coś we wsi, a kiedy zostało mu już tylko dwanaście wiorst, najechał na ostry kamyk i znowu ta sama dętka oklapła z sykiem.

Zmierzchało już, kiedy dotarł do letniskowego miasteczka, gdzie mieszkała Maszeńka. Czekała na niego przy bramie parku, tak jak się umówili, już się go jednak nie spodziewając, bo czekała od sześciu godzin. Zobaczywszy go, zachwiała się z przejęcia, omal nie upadła. Miała na sobie białą, przeświecającą suknię, której Ganin nie znał. Kokarda znikła, więc jej śliczna głowa wydawała się mniejsza. W starannie uczesane włosy wpięte były bławatki.

Tego dziwnego, ostrożnie mroczniejącego wieczoru, w lipcowym zmierzchu rozległego miejskiego parku na zapadłej w mech kamiennej płycie w ciągu jednej, szybko przemykającej godziny Ganin pokochał ją gwałtowniej niż dotychczas i jakby przestał kochać na zawsze.

Rozmawiali najpierw w spokojnym uszczęśliwieniu – o tym, że się od tak dawna nie widzieli, o tym, że pośród mchu robaczek świętojański lśni niczym maleńki semafor. Jej tak miłe tatarskie oczy błyskały tuż przy jego twarzy, biała suknia wydawała się świecić w ciemności – i, mój Boże, ten jej zapach, niepojęty, jedyny na świecie...

– Jestem twoja – powiedziała. – Rób ze mną, co chcesz.

W milczeniu, z łomoczącym sercem nachylił się nad nią, jego dłonie zaczęły błądzić po jej miękkich, chłodnych nogach. Park jednak pełen był dziwnych szmerów, jakby ktoś nieustannie przybliżał się zza krzaków; twarda płyta uwierała w kolana i ziębiła; Maszeńka leżała zbyt pokornie, zbyt nieruchomo.

Zamarł, a potem powiedział z zakłopotanym uśmieszkiem:

– Ciągle mi się zdaje, że ktoś tu idzie – i wstał.

Maszeńka westchnęła, obciągnęła niewyraźnie bielejącą suknię i też wstała.

Potem, kiedy szli ku bramie po plamistej od księżycowego światła ścieżce, Maszeńka podniosła z trawy bladozielonego świetlika. Trzymała go na dłoni, pochyliwszy głowę, aż nagle roześmiała się i powiedziała z jakby trochę wiejskim grymasem: „W ogólności to zimny chrobaczek".

Ganin zmęczony, nierad z siebie, zziębnięty w swojej lekkiej koszuli, rozmyślał właśnie o tym, że wszystko skończone, że już nie kocha Maszeńki – a kiedy w kilka minut później, w księżycowej mgle, bladym pasmem szosy ruszył do domu, wiedział, że już więcej do niej nie przyjedzie.

Lato minęło. Maszeńka nie pisała i nie dzwoniła, jego zaś absorbowały inne sprawy i inne uczucia.

Znowu wrócił na zimę do Petersburga, przyśpieszonym trybem złożył w grudniu końcowe egzaminy, wstąpił do szkoły junkrów imienia księcia Michała. A następnego lata, już w roku rewolucji, jeszcze raz zobaczył się z Maszeńką.

Był na peronie Dworca Warszawskiego. Zapadał zmrok. Właśnie wjechał letniskowy pociąg. Czekając na sygnał do odjazdu, przechadzał się tam i z powrotem po brudnym peronie, i spoglądając na zepsuty wózek bagażowy, myślał o czymś innym, o wczorajszej palbie pod Gostinym Dworem, a jednocześnie irytowało go, że nie zdołał się dodzwonić na wieś i że będzie musiał wlec się ze stacji dorożką.

Kiedy rozległ się trzeci dzwonek, podszedł do jedynego w tym składzie granatowego wagonu i zaczął wchodzić na platformę – tam właśnie, spoglądając na niego z góry, stała Maszeńka. W ciągu roku zmieniła się, trochę chyba zeszczuplała, ubrana była w nieznany mu granatowy płaszcz z paskiem. Ganin przywitał się niezręcznie, wagon zagrzechotał buforami i popłynął. Oboje pozostali na platformie. Maszeńka zobaczyła go zapewne przedtem i umyślnie weszła do granatowego wagonu, choć zawsze jeździła żółtym, i teraz, z biletem drugiej klasy, nie chciała wejść do przedziału. W ręku trzymała tabliczkę czekolady „Bligken i Robinson"; od razu ułamała kawałek i poczęstowała go.

Ganina, gdy na nią patrzył, ogarniał okropny smutek – w całej jej postaci było coś nieśmiałego, obcego, rzadziej się śmiała, wciąż odwracała twarz. Na delikatnej szyi zobaczył fioletowawe sińce – zdobiącą ją kolię z cieni, w której tak jej było do twarzy. Opowiadał o jakichś drobnostkach, pokazywał but draśnięty kulą, mówił o polityce. Wagony łomotały, składy pędziły między dymiącymi torfowiskami w żółtej smudze wieczornej zorzy; szarawy torfowy dym słał się łagodnie i nisko, tworząc jakby dwie fale mgły, pomiędzy którymi mknął pociąg.

Wysiadła na pierwszej stacji, a on długo spoglądał z platformy na jej oddalającą się granatową sylwetkę, i im bardziej się oddalała, tym oczywistsze stawało się dla niego, że nigdy nie przestał jej kochać. Nie obejrzała się. Z mroku ciężko i puszyście pachniało czeremchą.

Kiedy pociąg ruszył, Ganin wszedł do przedziału; było tam ciemno, gdyż konduktor uznał, że w pustym wagonie nie ma sensu zapalać ogarków w lampach. Położył się na wznak na pasiastym materacu ławy i przez szczelinę drzwi widział, jak za oknem korytarza, wśród dymów płonącego torfu, wznoszą się cienkie przewody. Dziwnie i trochę straszno było pędzić w tym roztrzęsionym, pustym wagonie między szarymi strugami dymu, i do głowy przychodziły mu dziwne myśli, tak jakby to wszystko już się kiedyś zdarzyło – leżał z rękami pod głową w przenikalnej, łomoczącej ciemności, a obok okien przepływał w dymach hałaśliwie i szeroko zachód słońca.

Już nigdy potem nie widział się z Maszeńką.

10

Hałas przybliżył się, wtoczył, blady obłok przesłonił okno, na umywalce zabrzęczała szklanka. Pociąg przejechał i w oknie rozpostarła się znów wachlarzowato rozłożona pustynia torów. Berlin w kwietniu, pod wieczór, jest delikatny i przymglony.

Tego czwartku, o zmierzchu, kiedy łoskot pociągów jest najbardziej zgłuszony, Klara, denerwując się okropnie, przyszła do Ganina, żeby przekazać mu słowa Ludmiły: „Powiedz mu tak – mamrotała Ludmiła do przyjaciółki na odchodnym. – Tak mu właśnie powiedz, że nie należę do kobiet, które się porzuca. Sama potrafię porzucić. Powiedz mu, że niczego od niego nie żądam, nie chcę, uważam jednak, że to świństwo nie odpowiedzieć mi na list. Chciałam pożegnać się z nim po przyjacielsku, zaproponować, żeby – skoro nie ma miłości – pozostały jednak najprostsze, przyjacielskie stosunki, ale on nie pofatygował się, żeby bodaj zadzwonić. Przekaż, Klaro, że życzę mu szczęścia z jego Niemeczką i wiem, że nie zapomni mnie tak łatwo".

– Skąd się tu wzięła Niemeczka? – skrzywił się Ganin, kiedy Klara, nie patrząc na niego, pośpiesznie i cicho powtórzyła mu to wszystko. – A w ogóle, po co ona wplątuje panią w te sprawy? To wszystko jest bardzo nudne.

– Wie pan co, panie Lwie! – wykrzyknęła nagle Klara, ogarniając go swym wilgotnym spojrzeniem. – Pan jest po prostu bardzo niedobry... Ludmiła myśli o panu tylko dobrze, idealizuje pana, gdyby jednak wiedziała o panu wszystko...

Ganin spoglądał na nią z dobrodusznym zdumieniem. Zmieszała się, przestraszyła, znowu spuściła oczy.

– Powtarzam to panu tylko dlatego, że ona o to prosiła – cicho dodała Klara.

– Muszę wyjechać – po chwili milczenia powiedział spokojnie Ganin. – Ten pokój, te pociągi, pichcenie Eriki – znudziło mi się to. Poza tym kończą mi się pieniądze, niedługo będę znów musiał popracować. W sobotę chcę opuścić Berlin na zawsze, skoczyć na południe, do jakiegoś portu...

Zamyślił się, zaciskając i rozwierając dłoń.

– Nic zresztą nie wiem... Jest pewna okoliczność... Bardzo by się pani zdziwiła, gdyby wiedziała pani, co sobie umyśliłem... Mam niezwykły, niebywały plan. Jeśli mi się powiedzie, już jutro nie będzie mnie w tym mieście.

„Jaki on jest doprawdy dziwny" – myślała Klara z tym dławiącym poczuciem osamotnienia, ogarniającym nas zawsze, gdy drogi nam człowiek oddaje się marzeniu, w którym nie ma dla nas miejsca.

Lustrzanoczarne źrenice Ganina rozszerzyły się, delikatne gęste rzęsy przydawały oczom puszystości i ciepła, spokojny uśmiech zamyślenia unosił nieco jego górną wargę, spod której błyszczało białe pasmo równych zębów. Ciemne, gęste brwi przypominające Klarze skrawki kosztownego futra to zbiegały się, to rozstępowały, a na czystym czole pojawiały się i znikały drobne zmarszczki.

Spostrzegłszy, że Klara patrzy na niego, zamrugał, powiódł dłonią po twarzy i przypomniał sobie, co chciał jej powiedzieć:

– Tak. Wyjeżdżam i wszystko się skończy. Niech jej to pani po prostu powie. Ganin wyjeżdża i prosi, by go źle nie wspominała. I to wszystko.

11

W piątek rano tancerze rozesłali do pozostałych czworga lokatorów taki oto liścik:

„Ze względu na to, że:
1. Pan Ganin nas opuszcza
2. Pan Podtiagin zamierza nas opuścić
3. Do pana Ałfierowa przyjeżdża jutro żona
4. Panna Klara ukończyła dwadzieścia sześć lat
i 5. Niżej podpisani uzyskali w tym mieście engagement
– z tych wszystkich powodów dziś o dziesiątej wieczór w pokoju szóstego kwietnia odbędzie się przyjęcie".

– Gościnni młodzieńcy – powiedział z uśmiechem Podtiagin, wychodząc z domu wraz z Ganinem, który zaofiarował się towarzyszyć mu na policję. – Dokąd pan wyjeżdża, Lowuszka? Daleko się pan zapędzi? Tak... Wolny z pana ptak. Mnie w młodości dręczyło pragnienie podróżowania, wchłaniania w siebie świata bożego. Spełniło mi się, ani słowa...

Skulił się pod uderzeniem chłodnego wiosennego wiatru, podniósł kołnierz płaszcza, ciemnopopielatego, schludnego, z ogromnymi kościanymi guzikami. Czuł jeszcze w nogach mdlącą słabość pozostałą po ataku, dziś jednak było mu jakoś lekko, wesoło na myśl, że teraz już na pewno skończy się mitręga z paszportem i będzie mógł bodaj jutro wyjechać do Paryża.

Olbrzymi ciemnoczerwony gmach centralnego zarządu policji wychodził aż na cztery ulice; zbudowany został w groźnym, ale bardzo niedobrym stylu gotyckim, miał zmętniałe szyby i bardzo interesujący dziedziniec, przez który nie wolno było przechodzić; przed głównym portalem stał policjant. Strzałka na ścianie wskazywała mieszczący się po drugiej stronie ulicy zakład fotograficzny, gdzie w ciągu dwudziestu minut można było otrzymać własną żałosną podobiznę: pół tuzina jednakowych twarzy, z których jedną należało nalepić na żółty blankiet paszportu, jedna szła do archiwum policji, reszta zaś rozchodziła się pewnie po prywatnych zbiorach urzędników.

Podtiagin i Ganin znaleźli się w szerokim szarym korytarzu. Przy drzwiach wydziału paszportowego stał stolik i siwy, wąsaty urzędnik wydawał karteluszki z numerkami, z rzadka, niczym nauczyciel w szkole, popatrując przez okulary na nieduży, różnoplemienny tłumek.

– Musi pan stanąć w kolejce i wziąć numerek – powiedział Ganin.

– Tego właśnie nigdy nie robiłem – odpowiedział szeptem stary poeta. – Otwierałem drzwi i wchodziłem...

Otrzymawszy po kilku minutach karteluszek, ucieszył się i stał się jeszcze bardziej podobny do tłustej morskiej świnki.

W pokoju o nagich ścianach, gdzie za niską barierką w dusznej fali słońca siedzieli przy biurkach urzędnicy, znów był tłum, który sprawiał wrażenie, jakby przyszedł tu jedynie po to, żeby zachłannie przyglądać się owym ponurym, piszącym coś jegomościom.

Ganin, ciągnąc za rękaw ufnie posapującego Podtiagina, przepchnął się do przodu.

W pół godziny później, oddawszy paszport Podtiagina, przeszli do innego biurka, gdzie znów była kolejka, ścisk, czyjś cuchnący oddech, i wreszcie za kilka marek zwrócono im żółty blankiet, przyozdobiony już czarodziejskim piętnem.

– Teraz pędzimy do konsulatu – z radosnym chrząknięciem obwieścił Podtiagin, gdy wreszcie wyszli z groźnej z pozoru, a w istocie dość nudnej instytucji. – Teraz rzecz jest załatwiona. Jakim sposobem pan, drogi Lwie, tak spokojnie z nimi rozmawiał? A ja poprzednim razem tak się umordowałem... Pakujemy się na imperiał. Cóż za szczęście. Aż się, proszę pana, spociłem.

Pierwszy wdrapał się po kręconych schodkach, konduktor z góry walnął dłonią w żelazną ściankę i autobus ruszył. Popłynęły obok niego domy, szyldy, wypełnione słońcem szyby wystawowe.

– Nasze wnuki nie będą w stanie zrozumieć tego zawracania głowy z wizami – mówił Podtiagin, z nabożeństwem oglądając własny paszport. – W głowach im się nie pomieści, że człowiek może się tak przejmować zwyczajną pieczątką... Jak pan sądzi... – zreflektował się nagle – czy Francuzi na pewno dadzą mi teraz wizę?

– Oczywiście, że dadzą – powiedział Ganin. – Powiedzieli przecież panu, że zezwolenie już jest.

– Może wydadzą jutro – ze śmiechem mówił Podtiagin. – Jedźmy razem, Lowuszka. W Paryżu będzie nam dobrze. No nie, proszę tylko spojrzeć, jaką mam tu gębę.

Ganin spojrzał poprzez jego rękę na paszport, na zdjęcie w rogu. Istotnie, zdjęcie było niezwykłe: w mętnej szarości pływała zdziwiona, obrzmiała twarz.

– A ja mam aż dwa paszporty – powiedział z uśmiechem Ganin. – Jeden rosyjski, prawdziwy, tyle że bardzo stary, i drugi polski, fałszywy. Tym się posługuję.

Podtiagin, płacąc konduktorowi, położył swój żółty blankiet na siedzeniu obok siebie, wybrał z kilku monet na dłoni czterdzieści fenigów, spojrzał na konduktora.

– Genug?*

Potem z ukosa zerknął na Ganina.

– Naprawdę, panie Lwie, fałszywy?

– Ano tak. Mam co prawda na imię Lew, ale zupełnie inne nazwisko.

– Jakże to, mój drogi? – Podtiagin ze zdumienia wytrzeszczył oczy i nagle chwycił za kapelusz – wiał silny wiatr.

– Tak. Różnie bywało – w zamyśleniu powiedział Ganin. – Partyzantka. W Polsce. No i tak dalej. Kiedyś myślałem, że przedostanę się do Petersburga, wywołam powstanie... A teraz mnie to bawi, i wygodnie mi z tym paszportem.

Podtiagin odwrócił nagle wzrok i rzekł ponuro:

– Dziś, Lowuszka, śnił mi się Petersburg. Idę sobie Newskim, wiem, że to Newski, choć nie jest wcale do siebie podobny. Domy stoją pod różnymi kątami – kompletna futurystyka, a niebo jest czarne, choć wiem, że to dzień. Przechodnie zerkają na mnie spod oka. Potem przechodzi przez ulicę jakiś człowiek i celuje mi w głowę. To się często powtarza. To straszne, bardzo straszne, że kiedy śni nam się Rosja, widzimy nie jej piękno, które pamiętamy na jawie, ale jakieś potworności. Wie pan, takie sny, kiedy niebo się wali i zanosi się na koniec świata.

---

* Wystarczy? (niem.).

92

– Nie – powiedział Ganin – mnie śni się tylko piękno. Las, jaki był, i dwór, jaki był. Tylko czasami bywa tam dziwnie pustawo, widać jakieś nieznajome przesieki. Ale to nic. Wysiadamy tu, panie Antoni.

Zszedł po krętych schodkach, pomógł Podtiaginowi stanąć na jezdni.

– Ładnie błyszczy ta woda – zauważył Podtiagin, oddychając z trudem i rozczapierzoną dłonią wskazując kanał.

– Uwaga, rower – powiedział Ganin. – Konsulat jest tam, na prawo.

– Proszę przyjąć moje najserdeczniejsze dzięki, panie Lwie. Sam nigdy bym się z tym paszportowym zawracaniem głowy nie uporał. Ulżyło mi. Żegnaj, *Deutschland*.

Weszli do budynku konsulatu i zaczęli wchodzić po schodach.

Wchodząc, Podtiagin szukał czegoś dłonią w kieszeni.

– Chodźmy – odwrócił się do niego Ganin.

Starszy pan wciąż czegoś szukał.

12

Na obiedzie było tylko czworo pensjonariuszy.

– Dlaczego nasi tak się spóźniają? – powiedział wesoło Alfierow. – Pewnie nic nie załatwili.

Tchnął radosnym oczekiwaniem. Poprzedniego dnia był na dworcu i wywiedział się o dokładny czas przyjazdu pociągu z północy: 8,05. Rano wyczyścił garnitur, kupił nowe mankiety i bukiecik konwalii. Jego sytuacja finansowa chyba się poprawiała. Przed południem siedział w kawiarni z ponurym, gładko wygolonym jegomościem, który proponował mu niewątpliwie korzystny interes. Jego nawykły do liczb umysł wypełniała teraz jedna, tworząca swoisty ułamek dziesiętny: osiem, przecinek, zero, pięć. Był to procent szczęścia, który na razie dawał mu los. A jutro... Mrużył oczy i głośno wzdychał, wyobrażając sobie, jak jutro, wczesnym rankiem, wyruszy na dworzec, jak będzie czekać na peronie, jak nadjedzie pociąg...

Po obiedzie zniknął; tancerze, przejęci niczym kobiety zbliżającą się uroczystością, też wyszli: wyruszyli pod rękę, żeby kupić drobne przysmaki.

W domu została tylko Klara: bolała ją głowa, ćmiły cienkie kości tęgich nóg; przypadło to na nią nie w porę – dziś było przecież jej święto. „Kończę dwadzieścia sześć lat – myślała – a jutro wyjeżdża Ganin. To niedobry człowiek, oszukuje kobiety, zdolny jest do przestępstwa... Może spokojnie patrzeć mi w oczy, choć wie, że widziałam, jak próbował ukraść pieniądze. A jednak jest cudowny, myślę o nim dosłownie przez cały dzień. I nie ma żadnej nadziei...".

Przejrzała się w lustrze: twarz miała bledszą niż zwykle; na czole, pod nisko zsuniętym kasztanowym pasmem pojawiła się delikatna wysypka; pod oczami widniały szaro-żółte cienie. Wytarta czarna suknia, którą wkładała na co dzień, znudziła się jej okropnie; na ciemnej, przezroczystej pończosze, przy szwie, wyraźnie czerniała cera; obcas się wykrzywił.

Ganin i Podtiagin wrócili około piątej. Klara usłyszała ich kroki i wyjrzała. Podtiagin, blady jak śmierć, w rozpiętym płaszczu, trzymając w ręku kołnierzyk i krawat, w milczeniu przeszedł do swego pokoju i zamknął drzwi na klucz.

– Co się stało? – zapytała szeptem Klara.

Ganin cmoknął.

– Zgubił paszport, a potem dostał ataku. Tutaj, tuż koło domu. Ledwie go dowlokłem. Winda nie działa – prawdziwy pech. Miotaliśmy się po całym mieście.

– Pójdę do niego – powiedziała Klara. – Trzeba go przecież uspokoić.

Podtiagin nie od razu jej otworzył. Kiedy ją wreszcie wpuścił, Klara aż jęknęła, zobaczywszy jego poszarzałą, zdenerwowaną twarz.

– Czy pani słyszała – powiedział ze smutnym uśmieszkiem. – Jestem stary idiota. Przecież wszystko już było gotowe – i masz ci... Połapałem się, że...

– Gdzie go pan zarzucił, panie Antoni?...

– No właśnie: zarzuciłem. *Licentia poetica*... Zaprzepaścić paszport. Rzec można, obłok w spodniach. Idiota ciężki.

– Może ktoś znajdzie – ze współczuciem rzekła Klara.

– E tam... Taki, znaczy się, los. Jak los to los. Niesądzone mi stąd wyjechać. Tak widocznie było pisane...

Usiadł ciężko.

– Niedobrze mi, Klaro... Na ulicy tak mi zabrakło tchu, że pomyślałem sobie: koniec ze mną. Mój Boże, zupełnie nie wiem, co mam teraz robić. Już chyba tylko zabawić się... w chowanego.

13

Ganin tymczasem, wróciwszy do siebie, zaczął się pakować. Wyciągnął spod łóżka dwie zakurzone walizy, jedną w kraciastym pokrowcu, drugą nagą, ciemnożółtą z bladymi śladami nalepek, i całą ich zawartość wywalił na podłogę. Potem z chybotliwie skrzypiącego mroku szafy wydobył czarny garnitur, cienki pakiet bielizny i parę ciężkich brązowych butów z mosiężnymi zapięciami. Z nocnej szafki powyciągał różne kiedyś powrzucane tam rzeczy: szare grudki brudnych chustek do nosa, cienkie żyletki z zaciekami rdzy wokół dziurek, stare gazety, widokówki pożółkłe niczym końskie zęby, różaniec, podartą jedwabną skarpetkę bez pary.

Ganin narzucił marynarkę i przykucnąwszy wśród tych smutnych zakurzonych rupieci, zaczął je przeglądać, zastanawiając się, co zabrać, a co wyrzucić.

Przede wszystkim spakował garnitur i czystą bieliznę, potem browning i stare, bardzo przetarte w pachwinach bryczesy.

Zastanawiając się, co teraz zapakować, spostrzegł czarny portfel, który spadł pod stół, kiedy opróżniał walizkę.

Podniósł go i już z uśmiechem otworzył, myśląc o tym, co znajduje się wewnątrz, ale powiedział sobie, że trzeba się jak najszybciej spakować, wsunął więc portfel do tylnej kieszeni spodni i zaczął szybko, nie przebierając, wrzucać do otwartych waliz: zmiętą brudną bieliznę, rosyjskie książki, które trafiły do niego Bóg wie skąd, i wszystkie te drobne, z jakiegoś powodu miłe mu przedmioty, do których tak przyzwyczajają się oczy i palce i które potrzebne są tylko po to, żeby człowiek, wiecznie skazany na obmieszkiwanie nowych kątów, wypakowując z walizki po raz setny lekką, serdeczną ludzką graciarnię, czuł się choć trochę w domu.

Spakowawszy się, Ganin zamknął obie walizki, ustawił je jedna przy drugiej, wyładował kosz na śmiecie zewłokami gazet, spenetrował wszystkie kąty opustoszałego pokoju i poszedł do gospodyni uregulować rachunek.

Kiedy wszedł, pani Lidia siedziała na fotelu, bardzo wyprostowana, i czytała. Jamniczka łagodnie ześlizgnęła się z łóżka i zatrzęsła się u stóp Ganina w małym ataku histerycznej sympatii.

Pani Lidia, zrozumiawszy, że tym razem Ganin na pewno się wyprowadzi, zasmuciła się. Lubiła jego dużą spokojną sylwetkę, a w ogóle bardzo przyzwyczajała się do lokatorów, w ich nieuchronnych zaś wyjazdach było coś ze śmierci.

Ganin zapłacił za ostatni tydzień i ucałował dłoń lekką jak wyblakły liść.

Wracając przez korytarz, przypomniał sobie, że tancerze zaprosili go dziś na wieczorek, i postanowił jeszcze nie odchodzić: pokój w hotelu można wynająć zawsze, nawet po północy.

„A jutro przyjeżdża Maszeńka! – zawołał w duchu, powiódłszy uszczęśliwionymi, trochę przestraszonymi oczami po suficie, ścianach, podłodze. – Jutro od razu ją wywiozę" – pomyślał z takim samym głęboko wewnętrznym dygotem, z takim samym rozkosznym westchnieniem całej istoty.

Szybkim ruchem wyjął czarny portfel, w którym przechowywał pięć listów; otrzymał je, kiedy był już na Krymie. Teraz błyskawicznie przypomniał sobie całą tę krymską zimę: nordost, wzbijający na jałtańskim bulwarze gorzkawy kurz, falę przez obmurowanie bijącą aż na trotuar, zagubionych i zuchwałych marynarzy, potem Niemców w żelaznych grzybach hełmów, potem wesołe trójkolorowe naszywki – dni oczekiwania, krótki trwożny okres wytchnienia – szczuplutką piegowatą prostytutkę o krótko ostrzyżonych włosach i greckim profilu, spacerującą po nabrzeżu, nordost rozsypujący nuty orkiestrze w miejskim parku i – wreszcie – przemarsz, postoje w tatarskich wioskach, gdzie w małych balwierniach przez cały boży dzień nic się na pozór nie dzieje, połyskuje brzytwa, puchnie od piany policzek, podczas gdy na ulicy, w kurzu, chłopcy, jak przed tysiącem lat, rozkręcają swoje bączki; przypomniał sobie okropny nocny niepokój, kiedy nie wiadomo, skąd dochodzi strzelanina i nie wiadomo, kto biegnie poskokiem przez kałuże księżyca między ukośnymi czarnymi cieniami ubogich domków.

Ganin wyciągnął z pakietu pierwszy list – jeden gruby podługowaty arkusik z rysuneczkiem w lewym rogu: młodzieniec w lazurowym fraku, trzymając za plecami bukiet bladych kwiatów, całuje dłoń damy w różowej, wysoko przepasanej sukni, damy równie delikatnej jak on, z policzkami w obramieniu loczków.

Ten pierwszy list, przesłany mu z Petersburga do Jałty, napisany był przeszło dwa lata po tamtej najszczęśliwszej w życiu jesieni.

„Lowa, jestem już cały tydzień w Połtawie, nudy tu piekielne. Nie wiem, czy Pana jeszcze kiedyś zobaczę, ale tak bym chciała, żeby Pan jednak o mnie nie zapomniał".

Pismo było drobne, okrągłe, jakby biegło na paluszkach. Pod „sz" i nad „t" były dla rozróżnienia kreseczki, ostatnia litera rzucała się ku prawej zamaszystym ogonkiem; tylko litera „ja" na końcu słów miała ogonek wzruszająco zawijający się w dół i ku lewej, jakby Maszeńka w ostatniej chwili cofała dane słowo. Kropki były bardzo duże i zdecydowane, przecinków za to mało.

„Pomyśleć tylko, że przez tydzień patrzę już na śnieg, biały zimny śnieg. Jest strasznie zimno i smutno. Tylko nagle przez mózg jak ptak przelatuje myśl, że gdzieś tam bardzo daleko ludzie żyją całkiem innym, całkiem różnym życiem. Nie wegetują tak jak ja w głuszy małego zapomnianego chutoru...

Nie, bardzo, bardzo tu smutno. Lowa, niech mi Pan napisze cokolwiek. Choćby same głupstwa".

Ganin przypomniał sobie, jak dostał ten list, jak tego odległego styczniowego dnia ruszył stromą kamienistą ścieżką wzdłuż tatarskich częstokołów, uwieńczonych tu i ówdzie końskimi czaszkami, jak siedział nad strumieniem, cienkimi strugami opływającym białe gładkie kamienie, i spoglądał przez cieniuteńkie, nieprzeliczone, bardzo wyraźnie rysujące się gałązki jabłoni na różowawo omdlewające niebo, gdzie niby przejrzysty ścinek paznokcia błyszczał młody księżyc, a obok przy dolnym jego rogu lśniła świetlista kropla – pierwsza gwiazda.

Napisał do niej tej samej nocy – o tej gwieździe, o cyprysach w ogrodach, o ośle, który rankiem ryczy za domem w tatarskiej zagrodzie. Pisał czule, marząco, przypomniał mokre olchowe noski na śliskim mostku altanki, gdzie się spotkali.

W tamtych latach listy szły długo i odpowiedź nadeszła dopiero w lipcu.

„Bardzo dziękuję za dobry, miły «południowy» list. Dlaczego Pan pisze, że mnie Pan jednak pamięta? I że mnie Pan nie zapomni? Naprawdę? Jak to dobrze!

Jest taki miły, rześki dzień po burzy. Taki jak w Woskriesieńsku, pamięta Pan? Czy chciałby Pan znów się powłóczyć po dawnych miejscach? Ja bym okropnie chciała. Jak by to było dobrze chodzić w deszcz po jesiennym parku. Dlaczego wtenczas w złą pogodę nie było smutno?

Przerwę na razie pisanie i pójdę się przejść.

Wczoraj nie udało mi się skończyć listu. To bardzo nieładnie z mojej strony. Prawda? Niech mi Pan wybaczy, drogi Lowa, naprawdę, więcej nie będę".

Ganin opuścił rękę z listem i zamyślił się z lekkim uśmiechem. Jak dobrze pamiętał tę jej wesołą minkę, niski, piersiowy śmieszek, kiedy mówiła „przepraszam"... To przejście od chmurnego westchnienia do gorącej żywości spojrzeń.

„Długo dręczyła mnie niepewność, gdzie Pan jest i co się z Panem dzieje – pisała w tym samym liście. Teraz nie trzeba zrywać tej maleńkiej nitki, która jest między nami. Chcę napisać i zapytać o bardzo wiele rzeczy, ale myśli mi się plączą. Wiele przez ten czas widziałam i przeżyłam wiele nieszczęść. Niech Pan na litość boską, pisze częściej i jak najwięcej. A na razie wszystkiego, wszystkiego najlepszego. Chciałabym pożegnać się z Panem serdeczniej, ale może przez ten długi czas od tego odwykłam. A może powstrzymuje mnie coś jeszcze?".

Przez całe dnie po otrzymaniu listu pełen był rozedrganego szczęścia. Wydawało mu się niepojęte, że mógł rozstać

101

się z Maszeńką. Pamiętał tylko ich pierwszą jesień – cała reszta wydawała się taka nieważna i wyblakła – ich udręki i nieporozumienia. Ciążyła mu marząca ciemność, konwencjonalne lśnienie nocnego morza, aksamitne zacisze wąskich cyprysowych alei, poblask księżyca na łapach magnolii.

Obowiązek zatrzymywał go w Jałcie – zanosiło się na zbrojną walkę – chwilami jednak zdecydowany był rzucić wszystko i ruszyć na poszukiwanie Maszeńki po małoruskich chutorach.

W tym wędrowaniu listów przez straszną Rosję było coś wzruszająco cudownego, niczym w bielinku przefruwającym nad okopem. Jego odpowiedź na drugi list bardzo się opóźniła i Maszeńka w żaden sposób nie mogła zrozumieć, co się stało – tak była przekonana, że dla listów nie istnieją powszednie wówczas przeszkody.

„Dziwi się Pan pewnie, że piszę, choć Pan milczy – nie myślę jednak, nie chcę nawet myśleć, że Pan i teraz mi nie odpowie. Przecież nie dlatego nie odpowiedział Pan, że nie chciał, lecz po prostu dlatego, że... no, że Pan nie mógł, może nie zdążył... Niech Pan powie, Lowa, przecież śmieszą Pana teraz tamte Pańskie słowa, że miłość do mnie to dla Pana całe życie, a jeśli nie będzie miłości – to i życia nie będzie... Tak... jakże wszystko przemija, jak się zmienia. Czy chciałby Pan, żeby wszystko wróciło? Jakoś mi dziś smutno.

Wiosna jednak jest dzisiaj, mimoz wprost zatrzęsienie.
I co krok ktoś je tutaj sprzedaje.
Więc przynoszę je tobie, kruche są jak marzenie...

To ładny wiersz, ale nie pamiętam ani początku, ani końca, i nie pamiętam, kto go napisał. Będę teraz czekała na list od Pana. Nie wiem, jak mam się z Panem pożegnać. Być może Pana pocałowałam. Pewnie to zrobiłam...".

W dwa czy trzy tygodnie później nadszedł czwarty list. „Lowa, cieszę się, żc dostałam list. Jest taki miły, taki miły. Tak, nie sposób zapomnieć, że kochaliśmy się tak bardzo i tak słonecznie. Pisze Pan, że za jedno mgnienie oddałby Pan życie przyszłe – lepiej jednak spotkać się i wzajemnie sprawdzić.

Lowa, jeśli Pan mimo wszystko przyjedzie, proszę zadzwonić z dworca do stacji telefonicznej urzędu ziemskiego i poprosić o numer 34. Być może odezwie się ktoś po niemiecku: jest tam niemiecki lazaret. Niech Pan poprosi, żeby mnie zawołano.

Wczoraj byłam w mieście, trochę «ucztowałam», było dużo muzyki, ruchu, światła – to mnie rozweseliło. Bardzo śmieszny jegomość z żółtą bródką zalecał się do mnie i nazywał «królową balu». A dzisiaj jest tak nudno, tak nudno. Przykre to, że dni przemijają tak bez sensu i tak głupio – a to są przecież dobre, najlepsze lata. Zdaje się, że niedługo zostanę «świętoszką». Nie, tak się stać nie powinno.

Zrzucę ciężkie okowy miłości
I poszukam wnet zapomnienia.
Wina kielich po brzegi nalejcie,
Niech mi wino da upojenie.

Nieźle, co?
Niech mi Pan odpowie od razu po otrzymaniu listu. Czy przyjedzie Pan tutaj, żeby się ze mną zobaczyć? Nie da się? Cóż więc począć... A może jednak? Co za głupstwo napisałam: przyjechać tylko po to, żeby mnie zobaczyć. Co za zadufanie! Prawda?
Przeczytałam właśnie w starym piśmie śliczny wiersz *Ty moja mała i blada perło* Krapowickiego. Bardzo mi się

podoba. Proszę napisać mi wszystko, wszystko. Całuję Pana. Przeczytałam też Podtiagina:

> Księżyc w pełni świeci ponad skrajem lasu,
> Spójrz, jak rzeczna fala mieni się od blasku".

„Kochany Podtiagin – pomyślał z uśmiechem Ganin. – Jakie to dziwne... Boże, jakie to dziwne... Gdyby mi wtedy powiedziano, że spotkam się właśnie z nim...".

Uśmiechając się i kręcąc głową, rozłożył ostatni list. Otrzymał go w przeddzień wyjazdu na front. Był zimny styczniowy świt i na statku mdliło go od zbożowej kawy.

„Lowa, miły, moja radości, jakże czekałam, jak pragnęłam tego listu. Przykro i ciężko było pisać i jednocześnie samą siebie w tych listach powściągać. Czy rzeczywiście żyłam przez te trzy lata bez Ciebie i życie miało jakiś sens i cel?

Kocham Cię. Jeśli wrócisz, zamęczę Cię pocałunkami. Czy pamiętasz?

> Opowiedzcie, że chłopczyka Lowę
> Tak jak umiem, najczulej całuję,
> I że austriacki kask ze Lwowa
> Chowam i że jemu go daruję.
> A osobno napiszcie ojcu...

Mój Boże, gdzie się podziało to wszystko dalekie, jasne, drogi... Czuję tak jak Ty, że się jeszcze zobaczymy – ale kiedy, kiedy?

Kocham Cię. Przyjeżdżaj. Twój list tak mnie ucieszył, że wciąż jeszcze nie mogę opamiętać się ze szczęścia...".

– Szczęście – cicho powtórzył Ganin, składając w równy pakiecik wszystkie pięć listów. – Tak, to właśnie jest szczęście. Spotkamy się za dwanaście godzin.

Znieruchomiał, zaprzątnięty cichymi i cudownymi myślami. Nie wątpił, że Maszeńka kocha go nadal. Trzymał na dłoni pięć jej listów. Za oknem było zupełnie ciemno. Lśniły zatrzaski walizek. Lekko pachniało suchym kurzem.

Siedział wciąż w tej samej pozycji, gdy za drzwiami rozległy się głosy i nagle, z rozpędu, bez pukania wpadł do pokoju Alfierow.

– Ach, przepraszam – powiedział niezbyt speszony.

– Myślałem, nie wiem czemu, że pan już wyjechał.

Ganin, patrząc jak przez mgłę na jego żółtawą bródkę, przebierał palcami złożone listy. W drzwiach stanęła gospodyni.

– Pani Lidio – ciągnął Alfierow, gwałtownie szarpiąc głową i nonszalancko przechodząc przez pokój. – Tę kolubrynę trzeba przestawić, żeby otworzyć drzwi do mojego pokoju.

Spróbował przesunąć szafę, stęknął i cofnął się bezradnie.

– Ja to zrobię – wesoło zaproponował Ganin, po czym wsunąwszy czarny portfel do kieszeni, wstał, podszedł do szafy i popluł w dłonie.

14

Huczały czarne pociągi, łomocąc oknami domu; falujące góry dymu strząsały brzemię wzruszeniem widmowych ramion, wznosiły się rozpędem, zasłaniając nocne pociemniałe niebo; dachy płonęły pod księżycem gładkim metalicznym pożarem; huczący czarny cień budził się pod żelaznym wiaduktem, kiedy grzechotał po nim czarny pociąg, prześwitując na całej długości częstokołem światła. Huczący grzmot, szeroko rozpełzły dym wydawały się przenikać na wskroś przez dom dygocący pomiędzy otchłanią, gdzie pobłyskiwały narysowane paznokciem księżyca szyny, a ulicą miasta, którą spinał nisko czarny wiadukt, oczekujący znów kolejnego łoskotu wagonów. Dom był niczym widmo, skroś które można przesunąć rękę, poruszyć palcami.

Stojąc przy oknie w pokoju tancerzy, Ganin spojrzał na ulicę: mętnie połyskiwał asfalt, tam i na powrót snuły się spłaszczone od góry, czarne postacie, zapadając między cienie i znowu migając w skośnym odblasku sklepowych witryn. W przeciwległym domu przez jedno niezasłonięte okno w świetlistym bursztynowym prześwicie widać było iskrzące się szkło, złocone ramy. Potem czarny strojny cień zasunął zasłony.

Ganin odwrócił się. Kolin wyciągał do niego rękę z kieliszkiem, w którym falowała wódka.

Światło w pokoju było blade, pozagrobowe, gdyż pomysłowi tancerze owinęli lampę kawałkiem fiołkowego jedwabiu. Pośrodku stołu fioletowo polśniewały flaszki, w otwartych puszkach sardynek błyszczała oliwa, leżała czekolada w srebrnej cynfolii, mozaika krążków kiełbasy, gładkie paszteciki z mięsem.

Przy stole siedział Podtiagin pobladły i ponury, z kroplami potu na ciężkim czole; Ałfierow był w nowym mieniącym się krawacie, Klara w swojej nieodmiennej czarnej sukience – marząca, rozczerwieniona od taniego pomarańczowego likieru.

Gornocwietow bez marynarki, w nieświeżej jedwabnej koszuli z rozpiętym kołnierzykiem siedział na krawędzi łóżka, strojąc Bóg wie skąd zdobytą gitarę. Kolin przez ten czas krzątał się, nalewał wódkę, likier, blade reńskie wino, jego grube biodra kołysały się śmiesznie, choć gdy Kolin szedł, jego szczupły tors opięty granatową marynareczką pozostawał nieruchomy.

– Dlaczego pan nic nie pije? – wypowiedział konwencjonalną przyganę, odymając usta i podniósł na Ganina pełne czułości oczy.

– Przecież piję! – odparł Ganin, sadowiąc się na parapecie i biorąc z drżącej dłoni tancerza lekki, chłodny kieliszek. Opróżniwszy go jednym haustem, powiódł wzrokiem po siedzących przy stole. Wszyscy milczeli. Nawet Ałfierow zbyt był przejęty tym, że już za osiem czy dziewięć godzin przyjedzie jego żona, i nie paplał jak zwykle.

– Gitara już nastrojona – oznajmił Gornocwietow, pokręciwszy kołkiem na gryfie i szczypnąwszy strunę. Zagrał i od razu zgłuszył dłonią nosowy pobrzęk.

– Panowie, czemu nie śpiewacie? Na cześć Klary. Proszę bardzo. „Niczym wonny kwiatuszek...".

Znów zaczął grać, założywszy nogę na nogę i skłoniwszy na bok głowę.

Ałfierow, wyszczerzając zęby w uśmiechu skierowanym do Klary, uniósł z udawaną brawurą kieliszek, gwałtownie odchylił się do tyłu na krześle – o mało przy tym nie upadł, był to bowiem kręcony taboret bez oparcia – a potem zaśpiewał fałszywym, przymilnym tenorkiem, ale nikt mu nie zawtórował.

Gornocwietow poskubał struny i zamilkł. Wszyscy poczuli się niezręcznie.

– Też mi śpiewacy... – ponuro stęknął Podtiagin, opierając się łokciami o stół i kiwając wspartą na dłoniach głową. Było mu niedobrze: myśl o zgubionym paszporcie mieszała się z uczuciem uciążliwej duszności w piersiach. – Nie powinienem pić alkoholu, ot co – dodał ponuro.

– Mówiłam to panu – cicho powiedziała Klara. – Pan, panie Antoni, jest jak nowo narodzone dziecko.

– Cóż to, nikt nie je i nie pije... – zakołysał biodrami Kolin, drepcząc dokoła stołu. Zaczął napełniać puste kieliszki. Wszyscy milczeli. Było oczywiste, że wieczorek się nie udał.

Ganin, który cały czas siedział na parapecie z lekkim zamyślonym uśmiechem w kącikach ciemnych warg i patrzył na fioletowe rozbłyski stołu, na dziwacznie oświetlone twarze, zeskoczył nagle na podłogę i roześmiał się wesoło.

– Niech mi pan nie żałuje i naleje, Kolin – powiedział, podchodząc do stołu. – Ałfierowowi trzeba nalać więcej. Jutro odmieni się życie. Jutro mnie tu nie będzie. No proszę, do dna. Pani Klaro, niech pani nie patrzy na mnie oczyma zranionej łani. Niech jej pan naleje likieru. Panie Antoni, i pan niech się rozweseli; nie ma sensu myśleć o paszporcie. Dostanie pan inny, jeszcze lepszy niż tamten. Niech pan nam powie wiersz czy co. A propos...

– Czy mogę prosić o tę pustą flaszkę? – powiedział naraz Ałfierow i pożądliwy płomyczek zaświecił w jego rozradowanych, wzruszonych oczach.

– A propos – powtórzył Ganin, podchodząc od tyłu do starca i kładąc mu rękę na uległym ramieniu. – Pamiętam pewien pański wiersz. Skraj lasu... księżyc... tak tam, zdaje się, było?...

Podtiagin zwrócił ku niemu twarz i uśmiechnął się nieskwapliwie:

– Wyczytał pan pewno w kalendarzu? Bardzo mnie lubili drukować po kalendarzach. Po drugiej stronie kartki, nad *Jadłospisem na dziś*...

– Panowie, panowie, co on chce zrobić! – krzyknął nagle Kolin, wskazując na Ałfierowa, który otwarłszy na oścież okno, podniósł nagle do góry flaszkę, celując w granatową noc.

– A niech tam – roześmiał się Ganin. – Niech sobie szaleje...

Bródka Ałfierowa lśniła, ostro rysowała się grdyka, rzadkie włosy na ciemieniu rozwiewał wiatr. Wziąwszy szeroki rozmach, znieruchomiał, a potem ceremonialnie postawił flaszkę na podłodze.

Tancerze zaśmiewali się.

Ałfierow usiadł obok Gornocwietowa, odebrał mu gitarę, spróbował coś zagrać. Wódka podziałała na niego bardzo szybko.

– Klarunia jest taka poważna – z trudnością mówił Podtiagin. – Takie panny pisywały kiedyś do mnie wzniosłe listy. A teraz ona nie chce na mnie nawet spojrzeć.

– Niech pan więcej nie pije. Bardzo proszę – powiedziała Klara i pomyślała, że jeszcze nigdy w życiu nie było jej tak smutno.

Podtiagin zdobył się na uśmieszek i poklepał Ganina po rękawie:

– A oto przyszły zbawca Rosji. Niech pan coś opowie, Lowuszka. Gdzie się pan obracał, jak pan wojował?

– Czy to potrzebne? – dobrodusznie skrzywił się Ganin.

– A jednak. Jakoś mi, wie pan, ciężko. Kiedy pan wyjechał z Rosji?

– Kiedy? Hej, Kolin. Tego słodkiego proszę. Nie, nie dla mnie – dla Alfierowa. Tak. Niech pan zmiesza.

15

Pani Lidia leżała już w łóżku. Z przestrachem odrzuciła zaproszenie tancerzy, a teraz drzemała czujnym starczym snem, poprzez który, niczym ogromne szafy wypełnione dygocącymi naczyniami, przesuwał się łoskot pociągów. Z rzadka budziła się i wtedy niewyraźnie docierały do niej głosy spod szóstki. Przez chwilę śnił się jej Ganin i ani rusz nie mogła w tym śnie zrozumieć, kim on jest i skąd się wziął. Jego osobę także na jawie otaczała pewna tajemniczość. Nic dziwnego: nikomu nie opowiadał o swoim życiu, o podróżach i przygodach ostatnich lat – sam zresztą wspominał swoją ucieczkę z Rosji jakby przez sen, podobny do morskiej, lekko opalizującej mgły.

Być może Maszeńka pisała jeszcze do niego wtedy, na początku dziewiętnastego roku, kiedy walczył już na północnym Krymie, ale listów tych nie dostał. Zachwiał się i padł Perekop. Ganin, ranny w głowę, przewieziony został do Symferopola, a w tydzień później, chory i zobojętniały, odcięty od swojego oddziału, który wycofał się w kierunku Teodozji, dostał się mimo woli w szalony i senny potok cywilnej ewakuacji. Po polach i zboczach

111

Wzgórz Akermańskich, gdzie niegdyś w dymie małych jak zabawki armat migały przybrane w czerwone mundury postacie żołnierzy królowej Wiktorii, kwitła już pustynnie i pięknie krymska wiosna. Mlecznobiała szosa płynnie wznosiła się i opadała, otwarty dach samochodu potrzaskiwał na wybojach i poczucie pędu wraz z poczuciem wiosny, przestrzeni, bladooliwkowych wzgórz zespoliło się nagle w czułą radość, dzięki której zapominało się o tym, że ta łatwa szosa oddala od Rosji.

Przyjechał do Sewastopola przepełniony jeszcze tą radością i zostawiwszy walizkę w białym murowanym hotelu Kista, gdzie panował niebywały ruch – zszedł, otumaniony przymglonym słońcem i mętnym bólem głowy, wzdłuż bladych kolumn doryckiego portyku po szerokich granitowych płaszczyznach schodów ku Przystani Hrabiowskiej i długo, bez myśli o wygnaniu, spoglądał na błękitny drżący blask morza, a potem ruszył w górę, na plac, gdzie stoi szary Nachimow w długim marynarskim surducie z lunetą w ręku, i dowędrowawszy pełną kurzu białą ulicą aż do Czwartego Bastionu, oglądał szarobłękitną panoramę, gdzie autentyczne stare działa, worki, umyślnie rozsypane odłamki i prawdziwy, jakby cyrkowy piasek, przechodziły za okrągłą balustradą w miękki, popielatobłękitny, trochę duszny krajobraz, otaczający platformę dla zwiedzających i drażniący oko nieuchwytnością owej granicy.

Taki właśnie pozostał mu w pamięci Sewastopol – wiosenny, pełen kurzu, ogarnięty jakimś martwym, sennym niepokojem.

W nocy, już z pokładu, patrzył, jak na niebie nad zatoką rozrastają się i znowu opadają puste białe rękawy reflektorów. Czarna woda gładko polśniewała pod księżycem, trochę dalej zaś, w nocnej mgle, stał, cały w światłach,

zagraniczny krążownik spoczywający na złocistych prze-
lewnych słupach własnego odbicia.

Statek, na którym Ganin się znalazł, był brudną grecką
łajbą, na pokładzie spali pokotem smagli nędzarze,
uchodźcy z Eupatorii, dokąd statek zawinął był rankiem.
Ganin ulokował się w ogólnej kajucie, gdzie ciężko chwia-
ła się lampa, na długim stole zaś, niczym olbrzymie blade
cebule, stały jakieś tłumoki.

Potem nastąpiły bardzo piękne i smutne morskie dni;
piana białymi skrzydłami posuwiście, wciąż od nowa, obej-
mowała rozkrawający ją dziób statku, a na jasnych sto-
kach fal morskich łagodnie migotały zielone cienie ludzi
wspartych o burtę.

Zgrzytał zardzewiały łańcuch sterowy, komin opływały
dwie mewy, a ich schwytane w promień słońca wilgotne
dzioby skrzyły się jak diamentowe.

Tuż obok rozpłakało się wielkogłowe greckie dziecko,
a jego matka zaczęła w gniewie pluć na nie, żeby jakoś je
uspokoić. Na pokład wgramolił się palacz, cały czarny,
z oczami obrysowanymi węglowym pyłem, z fałszywym
rubinem na wskazującym palcu.

Takie właśnie drobiazgi, a nie żal za porzucaną ojczyzną,
zapamiętał Ganin, jak gdyby żyły wtedy tylko jego oczy,
a dusza odrętwiała.

Następnego dnia o wieczorze oranżowej barwy ukazał
się ciemny Stambuł i wolno zapadł w mrok nocy, która
wyprzedziła statek. O świcie Ganin wszedł na kapitański
mostek; matowoczarny brzeg Skutari powoli błękitniał.
Odbicie księżyca zwężało się i bladło. Fioletowy granat
nieba przechodził na wschodzie w metaliczną czerwień
i Stambuł, łagodnie jaśniejąc, zaczął wynurzać się ze
zmierzchu. Wzdłuż brzegu zaśnił jedwabisty pas drobnej
fali. Obok bezgłośnie przepłynęła czarna szalupa i czarny

fez. Wschód bielał teraz, powiał słony wiaterek i łaskotał twarz. Gdzieś na brzegu odezwała się pobudka, dwie mewy, czarne jak kruki, przeleciały nad statkiem i z pluskiem lekkiego deszczu stadko ryb skoczyło w górę, błyskawicznie tworząc sieć pierścieni. Potem przybiło czółno; cień pod nim wyciągał i wciągał macki. Ale dopiero wtedy, gdy Ganin wyszedł na brzeg i zobaczył na przystani ciemnoniebieskiego Turka, śpiącego na olbrzymiej pryzmie pomarańczy – dopiero wtedy odczuł dojmująco i wyraźnie, jak odległy stał się już ciepły masyw ojczyzny i Maszeńka, którą pokochał na zawsze.

Wszystko roztoczyło się teraz przed nim, błysnęło, połśniewając w pamięci i znowu zwinęło w ciepłą grudkę. Kiedy Podtiagin w roztargnieniu, przemagając słabość, zapytał:

– Czy dawno opuścił pan Rosję?

– Sześć lat temu – odpowiedział Ganin krótko, a potem siedząc w kącie, w fioletowym świetle, które spływało na obrus odsuniętego stołu i uśmiechnięte twarze Kolina i Gornocwietowa, szybko i w milczeniu tańczących pośrodku pokoju, myślał: „Co za szczęście! To stanie się jutro, nie, dzisiaj, przecież jest już po północy. Maszeńka nie mogła się zmienić w ciągu tych lat, wciąż tak samo płoną i skrzą się uśmieszkiem jej tatarskie oczy. Wywiozę ją gdzieś daleko, będę dla niej bez ustanku pracować. Jutro przyjeżdża moja młodość, moja Rosja".

Kolin, ująwszy się pod boki i potrząsając lekko przechyloną do tyłu głową, to posuwiście, to przytupując obcasami i powiewając chusteczką, uwijał się wokół Gornocwietowa, który w prysiudach zręcznie i dziarsko wyrzucał nogi coraz to szybciej i szybciej, aż wreszcie zawirował na jednej ugiętej nodze. Ałfierow, już całkiem pijany, kiwał się błogo; Klara wpatrywała się z niepokojem w spoconą, poszarzałą twarz Podtiagina, który jakoś bokiem siedział na łóżku i od czasu do czasu konwulsyjnie szarpał głową.

– Źle się pan czuje, panie Antoni – szepnęła. – Powinien się pan położyć, już jest druga.

„... O, jakież to będzie proste! Jutro – nie, dzisiaj – zobaczę ją: żeby tylko Ałfierow zalał się na dobre. Zostało zaledwie sześć godzin. Ona śpi teraz w wagonie, w ciemności przemykają słupy telegraficzne, sosny, wznoszące się stromo nasypy... Jak tupią ci skaczący młodzi chłopcy! Czy skończą wreszcie z tym tańcem?... Tak, zdumiewająco proste... W posunięciach losu jest czasem coś genialnego...”.

– Cóż, chyba pójdę się położyć – powiedział głucho Podtiagin i wstał z ciężkim westchnieniem.

– Dokąd to, ideale mężczyzny? Proszę poczekać... Proszę zostać jeszcze chwileczkę – radośnie wybełkotał Ałfierow.

– Niech pan pije i siedzi cicho – odwrócił się do niego Ganin, po czym szybko podszedł do Podtiagina. – Proszę się o mnie oprzeć, panie Antoni.

Starzec spojrzał na niego mętnym wzrokiem, uczynił ręką taki ruch, jakby chciał złapać muchę, i nagle z lekkim bulgotem zachwiał się i runął do przodu.

Ganin i Klara zdążyli go podtrzymać, dokoła nich zawirowali tancerze. Ałfierow, ledwie obracając językiem, wymamrotał z pijacką obojętnością:

– Patrzcie, patrzcie, on właśnie umiera.

– Niech się pan nie kręci bez sensu, Gornocwietow – mówił spokojnie Ganin. – Proszę przytrzymać mu głowę. Kolin – proszę tutaj... podeprzeć. Nie, to jest moja ręka, trochę wyżej. Niech pan się na mnie nie gapi. Powtarzam – trochę wyżej. Pani Klaro, proszę otworzyć drzwi.

We trójkę ponieśli starego do jego pokoju. Ałfierow, chwiejąc się, ruszył najpierw za nimi, ale potem bezwolnie

115

machnął ręką i usiadł przy stole. Nalawszy sobie drżącą ręką wódki, wyciągnął z kieszonki w kamizelce niklowany zegarek i położył go przed sobą na stole.

– Trzecia, czwarta, piąta, szósta, siódma, ósma. – Powiódł palcem po rzymskich cyfrach i znieruchomiał z odwróconą na bok głową, śledząc jednym okiem sekundnik. Na korytarzu cicho i nerwowo skamlał jamnik. Ałfierow skrzywił się.

– Parszywy pies... zatłuc go trzeba.

Po chwili wyjął z drugiej kieszeni chemiczny ołóweczek i nasmarował na szkle nad cyfrą osiem fioletową kreskę.

„Jedzie, jedzie, jedzie"... – myślał w takt tykającego zegarka.

Poszukał czegoś oczami na stole, wybrał sobie czekoladkę i od razu wypluł. Brązowa grudka pacnęła o ścianę.

– Trzecia, czwarta, piąta, siódma – znów zaczął liczyć i z szerokim pijackim uśmiechem mrugnął do cyferblatu.

16

Noc za oknem ucichła. Przygarbiony starzec w czarnej pelerynie szedł już szeroką ulicą, postukując laską, i gdy ostry koniec laski trafił na niedopałek, stary pochylał się ze stęknięciem. Z rzadka przejeżdżał samochód, a jeszcze rzadziej ze zmęczonym stukotem podków przemykała rozchwierutana dorożka. Na rogu pijany jegomość w meloniku czekał na tramwaj, choć tramwaje nie chodziły już od dwóch godzin. Kilka prostytutek przechadzało się tam i z powrotem, poziewając i zagadując podejrzanych osobników w płaszczach z podniesionymi kołnierzami. Jedna zaczepiła Kolina i Gornocwietowa, którzy przemykali obok nich nieomal pędem, od razu jednak odwróciła się, obrzuciwszy zawodowym spojrzeniem ich blade kobiece twarze.

Tancerze podjęli się sprowadzić do Podtiagina znajomego rosyjskiego lekarza i rzeczywiście po półtorej godziny wrócili w towarzystwie zaspanego jegomościa o wygolonej, nieruchomej twarzy. Bawił pół godziny i wydawszy kilkakrotnie cmoknięcie, jakby miał dziurawy ząb, poszedł.

W nieoświetlonym pokoju było teraz bardzo cicho. Panowała tu owa szczególna, ciężka i głucha cisza, która

117

zapada, kiedy kilka osób w milczeniu siedzi wokół chorego. Zaczynało świtać, powietrze w pokoju jakby powoli płowiało – i profil Ganina, uważnie spoglądającego na łóżko, zdawał się wykuty w bladobłękitnym kamieniu; przy nogach łóżka, na fotelu niewyraźnie szarzejącym w fali świtu siedziała Klara i nie odwracając ani na chwilę ledwie błyskających oczu, spoglądała w tym samym kierunku. Trochę dalej, na małej kanapce, siedzieli obok siebie Gornocwietow i Kolin z twarzami jak dwie niewyraźne plamy.

Lekarz schodził już po schodach za czarną sylwetką pani Dorn, która pobrzękując cicho pękiem kluczy, przepraszała, że winda jest zepsuta. Gdy dotarli do parteru, otworzyła ciężkie drzwi i lekarz, uchylając kapelusza, wyszedł w sinawą mgłę świtu.

Staruszka starannie zamknęła drzwi i otulając się czarną włóczkową chustą, ruszyła do góry. Światło na schodach paliło się żółtawo i zimno. Pobrzękując cicho kluczami, dotarła do podestu. Światło na schodach zgasło.

W przedpokoju spotkała Ganina, który delikatnie przymykając drzwi, wychodził z pokoju Podtiagina.

– Lekarz obiecał, że rano znów przyjdzie – wyszeptała staruszka. – Jak on się teraz czuje, lepiej?

Ganin wzruszył ramionami.

– Nie wiem. Zdaje się, że nie. Oddycha tak... to taki odgłos... aż strach słuchać.

Pani Lidia westchnęła i lękliwie weszła do pokoju. Klara i obaj tancerze jednakowym ruchem zwrócili na nią oczy, które ledwie błysnęły i znów skierowały się w stronę łóżka. Lekki wiatr pchnął ramę niedomkniętego okna.

Ganin zaś przeszedł na palcach przez korytarz i wrócił do pokoju, w którym niedawno odbywało się przyjęcie. Tak jak przypuszczał, Alfierow nadal siedział przy stole. Twarz mu obrzmiała i połyskiwała popielato w świetle świtu oraz

118

teatralnie przystrojonej lampy; kiwał się sennie, od czasu do czasu odbijało mu się; na szkiełku leżącego przed nim zegarka błyszczała kropla wódki, w niej zaś rozpłynięty ślad chemicznego ołówka. Pozostawało około czterech godzin.

Ganin usiadł obok niego i długo spoglądał na jego zaprawioną alkoholem drzemkę, chmurząc gęste brwi i podpierając pięścią skroń, a naciągnięta skóra sprawiała, że jego oko zdawało się skośne.

Alfierow szarpnął się nagle i wolno zwrócił ku niemu twarz.

– Czy nie powinien się pan położyć, drogi panie Aleksieju? – powiedział wyraźnie Ganin.

– Nie – z trudem wymówił Alfierow i zastanowiwszy się, jakby rozwiązywał trudne zadanie, powtórzył: – Nie...

Ganin zgasił niepotrzebne światło, wyjął papierośnicę, zapalił. Chłód bladej zorzy, podmuch dymu z papierosa sprawiły, że Alfierow jakby nieco wytrzeźwiał.

Potarł czoło dłonią, obejrzał się i dość pewną ręką sięgnął po flaszkę.

Ręka w pół drogi znieruchomiała, pokręcił głową, a potem z niewyraźnym uśmiechem zwrócił się do Ganina:

– Więcej nie trzeba... tego. Maszeńka przyjeżdża.

Po chwili szarpnął Ganina za rękę.

– Hej... panie... jak panu tam... Łbie Łebowiczu... słyszy pan... Maszeńka.

Ganin wypuścił dym i uważnie spojrzał Alfierowowi w twarz – ogarnął wszystko od razu; na wpół otwarte wilgotne wargi, bródkę koloru zbutwiałej słomy, mrugające wodniste oczy...

– Łbie Łebowiczu, niech pan tylko posłucha – kiwnął się Alfierow, chwytając go za ramię. – Ja teraz w dym, w pestkę... jak bela... Samiście mnie, u diabła, spoili... Nie – wcale nie to... Opowiadałem panu o dziewczynce...

119

– Powinien się pan wyspać, panie Aleksieju.

– Powiadam, była dziewczynka. Nie, ja nie mówię o żonie... moja żona jest czys-taa... A ja tyle lat już jestem bez żony... Więc niedawno temu – nie, dawno, nie pamiętam kiedy... dziewczynka zaprowadziła mnie do siebie... Podobna do lisa... Takie to było paskudne, a jednak słodkie... A teraz przyjeżdża Maszeńka... Rozumie pan, co to znaczy, rozumie pan czy nie? Ja teraz – w dym, nie pamiętam, co to takiego pros... porst... prostopadłościan – a zaraz będzie Maszeńka... Dlaczego tak się złożyło? Co? Pytam pana! Hej, ty, bolszewiku... czy możesz mi to wytłumaczyć?

Ganin lekko odepchnął jego rękę. Ałfierow, kręcąc głową, pochylił się nad stołem, jego łokieć sunął, marszcząc obrus i przewracając kieliszki. Kieliszki, spodeczek, zegarek zsunęły się na podłogę...

– Czas spać – powiedział Ganin i mocnym szarpnięciem postawił go na nogi.

Ałfierow nie stawiał oporu, ale chwiał się tak, że Ganin z trudem kierował jego krokami.

Znalazłszy się w swoim pokoju, uśmiechnął się szeroko, sennie i powoli opadł na łóżko. Nagle na jego twarzy odbiło się przerażenie.

– Budzik... – wymamrotał, unosząc się. – Łbie, tam na stole, budzik... Nastaw na wpół do ósmej.

– Dobra – powiedział Ganin i zaczął przestawiać wskazówkę. Ustawił ją na dziesiątce, zastanowił się i przesunął na jedenastkę.

Kiedy znów spojrzał na Ałfierowa, ten spał już mocno, szeroko rozłożony na wznak z dziwnie odrzuconą jedną ręką.

Tak po rosyjskich wsiach sypiali pijani włóczędzy. Przez cały dzień sennie lśnił upał, przepływały wysokie wozy, osypując wiejską drogę wyschniętymi źdźbłami – włóczęga awanturował się, zaczepiał spacerujących letników, walił się w dudniącą pierś, oznajmiając, że jest synem generała, i wreszcie, cisnąwszy czapką o ziemię, kładł się w poprzek drogi i tak leżał dopóty, dopóki chłop nie zlazł z wozu. Chłop odciągał go na bok i jechał dalej; włóczęga blady, z odrzuconą głową, leżał na skraju rowu niczym trup, podczas gdy zielone masywy wozów, kołysząc się i pachnąc, płynęły przez wieś, przez plamiste cienie omdlewających od upału lip.

Ganin, bezdźwięcznie ustawiwszy na stole budzik, długo stał, pobrzękując monetami w kieszeni spodni i przyglądał się śpiącemu. Wreszcie odwrócił się i cicho wyszedł.

W ciemnej łazience obok kuchni złożono w rogu przykryte rogożą brykiety. Szybka wąskiego okienka była pęknięta, na ścianach występowały żółte zacieki, nad czarną, łuszczącą się wanną krzywo zwisał metalowy pejcz prysznica. Ganin rozebrał się do naga i przez kilka minut prostował ręce i nogi – mocne, białe, o niebieskawych żyłkach. Mięśnie z chrzęstem przesuwały się pod skórą. Pierś oddychała równo i głęboko. Otworzył kran prysznica i chwilę stał pod lodowatym, wachlarzowato spływającym strumieniem, przyprawiającym go o słodki dreszcz w brzuchu.

Gdy się już ubrał, przeniknięty na wskroś parzącym łaskotaniem, nie czyniąc hałasu, wyciągnął do przedpokoju swoje walizy i spojrzał na zegarek. Zegarek wskazywał za dziesięć szóstą.

Rzucił na walizy płaszcz i kapelusz i po cichu wszedł do pokoju Podtiagina.

Tancerze oparci o siebie spali na kanapce. Klara i pani Lidia pochylały się nad starym panem. Oczy miał przymknięte, twarz barwy wyschłej gliny z rzadka wykrzywiała się w wyrazie udręki. Było prawie jasno. Przez dom z zaspanym łoskotem przedzierały się pociągi.

Gdy Ganin zbliżył się do wezgłowia, Podtiagin otworzył oczy. W przepaści, w którą spadał, jego serce znalazło na mgnienie chwiejne oparcie. Chciał wiele powiedzieć – że do Paryża już nie dotrze, że ojczyzny z całą pewnością więcej nie zobaczy, że całe jego życie było jałowe i pozbawione sensu, że nie wie, po co żył i dlaczego umiera. Przetoczywszy głowę na bok i obrzuciwszy Ganina zakłopotanym spojrzeniem, wymamrotał: „A więc... bez paszportu" – i spazmatyczny uśmiech wykrzywił mu wargi. Znów zacisnął powieki i znów wessała go otchłań, ból klinem wdarł się w serce, powietrze wydawało się niewypowiedzianym, niemożliwym do osiągnięcia szczęściem.

Ganin, zaciskając silną białą dłoń na poręczy łóżka, patrzył starcowi w twarz i znów przypomniały mu się te rozedrgane, widmowe sobowtóry przypadkowych rosyjskich statystów, cienie sprzedawane po dziesięć marek za sztukę i Bóg raczy wiedzieć dokąd biegnące teraz w białym blasku ekranu. Pomyślał, że Podtiagin coś jednak po sobie zostawił, choćby dwa blade wiersze, które dla niego, Ganina, zakwitły ciepłym i nieśmiertelnym istnieniem: tak zyskują nieśmiertelność taniutkie perfumy albo szyldy sklepowe na miłej nam ulicy. Życie objawiło mu się na chwilę w całej podniecającej urodzie swojej rozpaczy i szczęścia – wszystko stało się wielkie i bardzo tajemnicze – jego przeszłość, opłynięta bladym światłem twarz Podtiagina, delikatny cień okiennej ramy na niebieskiej ścianie i dwie kobiety w ciemnych sukniach nieruchomo stojące obok.

Klara ze zdumieniem spostrzegła, że Ganin uśmiecha się, i nie była w stanie zrozumieć dlaczego.

Z uśmiechem dotknął ręki Podtiagina, ledwie pełzającej po prześcieradle, i prostując się, powiedział cicho do pani Dorn i Klary:

122

– Wyjeżdżam. Wątpię, czy się kiedykolwiek zobaczymy. Proszę pozdrowić ode mnie tancerzy.

– Odprowadzę pana – powiedziała Klara równie cicho i dodała. – Tancerze śpią na kanapce.

I Ganin wyszedł z pokoju. W przedpokoju wziął walizki, przerzucił płaszcz przez ramię, a Klara otworzyła mu drzwi.

– Dziękuję pani – rzekł, wychodząc bokiem na podest.

– Życzę wszystkiego najlepszego.

Zatrzymał się na chwilę. Jeszcze poprzedniego dnia pomyślał mimochodem, że dobrze byłoby wyjaśnić Klarze, iż nie zamierzał kraść żadnych pieniędzy, lecz oglądał stare fotografie, teraz jednak nie mógł przypomnieć sobie, co chciał jej powiedzieć. Pochyliwszy się, zaczął więc nieśpiesznie schodzić ze schodów. Klara, trzymając drzwi za zasuwę, spoglądała w ślad za nim. Niósł walizki niczym wiadra i jego mocne kroki budziły w stopniach pogłos podobny do spowolnionego bicia serca. Kiedy zniknął za zakrętem poręczy, długo jeszcze wsłuchiwała się w ten równy, oddalający się dźwięk. Wreszcie zamknęła drzwi i przez chwilę stała w korytarzu. Powtórzyła na głos:

– Tancerze śpią na kanapce – i nagle zaszlochała gwałtownie i cicho, wodząc po ścianie wskazującym palcem.

17

Ciężkie grube wskazówki na olbrzymim cyferblacie bielejącym na skos od szyldu zegarmistrza wskazywały trzydzieści sześć minut po szóstej. W lekkim błękicie nieba, który po nocy jeszcze się nie rozgrzał, różowiał jeden cieniutki obłoczek i w jego wydłużonym zarysie była jakaś nieziemska gracja. Kroki nieczęstych przechodniów rozbrzmiewały w pustkowiu powietrza szczególnie czysto, a w oddali, na szynach tramwajowych, drżał cielisty poblask. Wózek wyładowany ogromnymi pękami fiołków, do połowy okryty pasiastym szorstkim suknem, łagodnie toczył się wzdłuż chodnika; handlarz pomagał go ciągnąć dużemu rudemu psisku, które z wywieszonym ozorem, całe podane naprzód, natężało wszystkie wyschnięte, podporządkowane człowiekowi mięśnie.

Z czterech gałązek ledwie zazielenionych drzew sfruwały z powietrznym furkotem wróble i siadały na wąskim gzymsie wysokiego ceglanego muru.

Sklepiki spały jeszcze za kratami, domy oświetlone były tylko od góry, ale nie można było w żaden sposób pomyśleć, że to zachód, a nie wczesny ranek. Cienie, padając w całkiem inną stronę, tworzyły bowiem dziwne połączenia, niespodziewane dla oka, nawykłego już do cieni wieczornych, ale rzadko widującego cienie świtu.

Wszystko wydawało się ustawione nie tak jak należy, nietrwałe, odwrócone niczym w lustrze. I tak samo jak stopniowo wznosiło się słońce, a cienie rozchodziły się na swoje zwykłe miejsca, tak właśnie w tym trzeźwym świetle owo życie wspomnień, którymi żył Ganin, stawało się tym, czym było naprawdę – odległą przeszłością.

Obejrzał się i w końcu ulicy zobaczył oświetlony róg domu, gdzie jeszcze przed chwilą żył czasem minionym i dokąd już nigdy więcej nie wróci. I w tym odejściu z jego życia całego domu było coś cudownie tajemniczego.

Słońce było coraz wyżej, równomiernie oświetlając miasto, i ulica nabierała życia, zatracając dziwny widmowy czar. Ganin szedł jezdnią, lekko się kołysząc, w rękach niósł ciężkie walizy i myślał o tym, że dawno nie czuł się taki zdrów, silny i tak gotowy do każdej walki. To, że dostrzegał wszystko z jakąś odnowioną miłością – i wózki toczące się na targowisko, i delikatne, jeszcze skulone listeczki, i różnokolorowe afisze reklamowe, którymi mężczyzna w fartuchu oblepiał okrągły kiosk – stanowiło właśnie tajemny zwrot i przebudzenie.

Zatrzymał się na małym skwerku przy dworcu i usiadł na tej samej ławce, na której tak niedawno jeszcze wspominał tyfus, dwór, przeczucie Maszeńki. Maszeńka przyjedzie za godzinę, jej mąż śpi jak zabity, a on, Ganin, zamierza wyjść jej na spotkanie.

Nie wiedzieć czemu przypomniał sobie naraz, jak poszedł pożegnać się z Ludmiłą i jak wychodził z jej pokoju.

A za ogródkiem budowano dom. Widział żółte drewniane wiązania – szkielet dachu gdzieniegdzie wypełniony dachówką.

Mimo wczesnej godziny już tam pracowano. Wśród lekkich wiązań granatowiały na porannym niebie sylwetki robotników. Jeden posuwał się po samym szczycie lekko i swobodnie, jakby miał ulecieć.

Złociście połyskiwała w słońcu drewniana więźba, a na niej dwaj inni robotnicy po kolei podawali trzeciemu plastry dachówek.

Leżały one płasko, w jednej linii, schodkowato, i ten z dołu unosił w górę, ponad głową, czerwony plaster podobny do dużej książki, środkowy ujmował dachówkę i tym samym ruchem, odchyliwszy się mocno do tyłu, z wyrzutem rąk podawał ją robotnikowi na górze. Ta leniwa rytmiczna podawanka działała uspokajająco, żółty blask świeżego drewna był o wiele żywszy niż najżywsze marzenie o minionym. Ganin spoglądał na lekkie niebo, na ażurowy dach i czuł już z bezlitosną jasnością, że jego romans z Maszeńką skończył się na zawsze. Trwał zaledwie cztery dni – i te dni były, być może, najszczęśliwszym okresem w jego życiu. Teraz jednak do cna wyczerpał swoje wspomnienie, nasycił się nim do ostatka, i wizerunek Maszeńki pozostał wraz z umierającym starym poetą tam, w domu cieni, który sam już stał się cieniem.

Prócz tego wizerunku nie ma i nie może być innej Maszeńki.

Ganin doczekał chwili, kiedy po żelaznym wiadukcie wolno przetoczył się jadący z północy ekspres. Przetoczył się i znikł za fasadą dworca.

Wtedy podniósł swoje walizy, zawołał taksówkę i kazał się wieźć na inny dworzec, na skraju miasta. Wybrał pociąg, który za pół godziny odchodził na południowy zachód

Niemiec, zapłacił za bilet czwartą częścią pieniędzy, które miał, i z przyjemnym podnieceniem pomyślał, jak bez żadnych wiz przedostanie się przez granicę, tam zaś będzie już Francja, Prowansja, a potem – morze.

Kiedy pociąg ruszył, zdrzemnął się, przywarłszy twarzą do fałd płaszcza zwisającego z haka nad drewnianą ławką.

Berlin 1926

Posłowie

Maszeńka to debiut powieściowy Vladimira Nabokova (Władimir Władimirowicz Nabokow, 1899 Sankt Petersburg – 1977 Lozanna, Szwajcaria). Ze względu na niewielkie rozmiary można by się zastanawiać nad innym określeniem gatunkowym (opowieść)[1], sam autor jednak konsekwentnie nazywał ją powieścią. Przedtem tworzył przede wszystkim utwory poetyckie, dramaty, szkice i małe formy prozatorskie. W styczniu 1925 r. napisał w liście do matki, że pracuje nad opowiadaniem, które będzie częścią długiej powieści, planowanej przezeń „od bardzo dawna"[2]. Opowiadanie nosiło tytuł *Pis'mo w Rossiju* (List do Rosji)[3], a powieść miała

---

[1] Takiego określenia gatunkowego używało kilku recenzentów utworu: A. Izgojew, *Mieczta i biessilije.* „Rul" 1926, nr 1630, s. 5, przedruk (w:) *Kłassik biez rietuszy. Litieraturnyj mir o tworczestwie Władimira Nabokowa,* sost. A.G. Mielnikow O.A. Korostielew, Moskwa 2000, s. 28–29; Mich. Os. [M. Osorgin], *Władimir Sirin, Maszeńka.* „Sowriemiennyje zapiski" 1926, nr 28, s. 174–176, przedruk w: *Kłassik biez rietuszy,* s. 31–33; N. Mielnikowa-Papouszek, [Recenzja *Maszeńki*]. „Wola Rossii" 1926, nr 5, s. 196–197.

[2] List datowany 23 I 1925. Cyt. za: B. Boyd, *Vladimir Nabokov: The Russian Years,* Princeton, New Jersey 1990, s. 237.

[3] Ukazało się w dzienniku „Rul" w numerze z 29 I 1925. Potem weszło do tomu *Wozwraszczenije Czorba. Rasskazy i stichi* (1930, Powrót Czorba. Opowiadania i wiersze). Wersja angielska *A Letter that Never Reached Russia* (List, który nigdy nie dotarł do Rosji) znalazła się w tomie *Details of Sunset and Other Stories* (1976, Szczegóły zachodu słońca i inne opowiadania).

się nazywać *Sczastje* (Szczęście)[1]. Nabokov ostatecznie zrezygnował z jej napisania, ale jak sam stwierdził wiele lat potem, niektóre ważne elementy niezrealizowanego utworu, przetworzone, znalazły się w *Maszeńce*[2].

Jak utrzymuje Andrew Field, powołując się na rozmowę autora z żoną, której to rozmowie się przysłuchiwał, część fabuły powieści podpowiedziało dość banalne zdarzenie. Oto Nabokov musiał iść w Berlinie na dworzec, żeby odebrać z pociągu przyjeżdżającą z Estonii dawną służącą rodziny, która przywiozła pozostawionego w Rosji, niewidzianego od sześciu czy siedmiu lat psa, jamnika Boksa[3]. To właśnie tego Boksa II, „którego dziadkami byli Quin i Brom doktora Antoniego Czechowa", Nabokov sportretował w *Pamięci, przemów!*: „jeszcze w roku 1930, na przedmieściach Pragi (gdzie moja owdowiała matka przeżyła ostatnie lata na skromnej emeryturze przyznanej przez rząd czeski), można go było zobaczyć, jak człapał niechętnie na spacery z panią, kolebał się poirytowany, zostając daleko w tyle, bardzo już stary i rozjuszony długim czeskim żelaznym kagańcem – emigracyjny pies w połatanym, niedopasowanym przyodziewku"[4]. Tak to za sprawą niewiadomych mechanizmów psychiki artysty długo niewidziany pies zmienia się w fikcji literackiej w długo niewidzianą kobietę.

---

[1] W publikacji w gazecie opowiadanie opatrzone było notką: „Z rozdziału drugiego powieści *Szczęście*".

[2] V. Nabokov, [Nota do opowiadania *A Letter that Never Reached Russia*], (w:) *Details of Sunset and Other Stories*, New York 1976, s. 82.

[3] A. Field, *VN: The Life and Art of Vladimir Nabokov*, London 1981, s. 99–100.

[4] V. Nabokov, *Pamięci, przemów!*, przeł. A. Kołyszko, Warszawa 2004, s. 42*.

* Pierwsze polskie wydanie *Tamte brzegi*, przeł. z rosyjskiego Eugenia Siemaszkiewicz, fragmenty z angielskiego przeł. Anna Kołyszko, Oficyna Literacka, Kraków 1986; drugie wydanie, przełożyła z rosyjskiego Eugenia Siemaszkiewicz, Czytelnik, Warszawa 1991. Edycja Oficyny Literackiej stanowiła pierwsze w Polsce (drugoobiegowe) książkowe wydanie tej prozy Nabokowa (przyp. tłum.).

Praca nad *Maszeńką* zaczęła się zapewne, jak dowodzi biograf pisarza[1], na przełomie września i października 1925[2] w nowym mieszkaniu, które Nabokov wynajął z żoną Wierą (poślubił ją 15 kwietnia) u niejakiej Frau Lepel na Motzstrasse w Berlinie. W połowie października pisał do matki: „Mój bohater nie jest specjalnie sympatyczną osobą, ale pośród innych postaci są bardzo mili ludzie. Coraz lepiej ich poznaję i zaczyna mi się już zdawać, że mój Ganin, mój Ałfierow, moi tancerze, Kolin i Gornocwietow, mój stary Podtiagin, moja Klara, Żydówka z Kijowa, Kunicyn, madame Dorn i tak dalej, a wreszcie moja Maszeńka, to prawdziwi ludzie, a nie moje wymysły. Wiem, jak każde z nich pachnie, chodzi, je, i rozumiem, jaką czystą, elektryzującą radość odczuwał Bóg, tworząc świat"[3]. Do końca miesiąca miał gotową pierwszą wersję utworu, jej poprawianie zajęło mu listopad. Książka wyszła w berlińskim wydawnictwie „Słowo" w marcu 1926 r. W 1928 wydawnictwo Ullstein opublikowało przekład niemiecki zatytułowany *Sie kommt – kommt sie?*, który przedtem (lipiec 1928) ukazał się w odcinkach w berlińskiej gazecie „Vossische Zeitung" pt. *Maschenjka kommt*. Tłumaczenie Jakoba M. Schuberta i G. Jarcho określono na stronie tytułowej jako „autoryzowane". Wersja angielska, *Mary*, przekład Michaela Glenny'ego dokonany przy współudziale autora (Nabokov spędził nad przekładem miesiąc[4], postanowił jednak nie poprawiać w jego trakcie samego tekstu powieści, co zdarzało mu się w innych wypadkach i to z reguły), ukazała się późno, bo we wrześniu roku 1970, nakładem wydawnictwa McGraw-Hill. Edycję

---

[1] B. Boyd, *op. cit.*, s. 244.

[2] Sam autor jednak w przedmowie do wersji angielskiej mówi o „wiośnie 1925", V. Nabokov, *Introduction* [Przedmowa do:] *Mary*, Harmondsworth 1983, s. 9.

[3] List datowany 13 X 1925. Cyt. za: B. Boyd, *op. cit.*, s. 244–245.

[4] Por. B. Boyd, *Vladimir Nabokov: The American Years*, Princeton, New Jersey 1991, s. 575.

brytyjską ogłosiło wydawnictwo Weidenfeld and Nicolson w lutym 1971[1]. Była to przedostatnia z rosyjskich powieści pisarza opublikowana po angielsku. W roku 1987 utwór doczekał się ekranizacji, która powstała w koprodukcji brytyjsko-niemiecko-francusko-fińskiej (*Maschenka*). Reżyserował John Goldschmidt, a wystąpili m.in. Irina Brook jako postać tytułowa, Cary Elwes jako Ganin, a także Jean-Claude Brialy w roli Kolina.

Emigracyjni recenzenci ustosunkowali się do *Maszeńki* na ogół dobrze, choć były też osądy nieprzychylne (jak pisze Gleb Struve, „powieść Sirina została przyjęta przez krytykę życzliwie, ale bez żadnych głośnych «okrzyków»")[2]. Niektórzy widzieli w niej przede wszystkim sceny z codziennej egzystencji rosyjskich wygnańców (np. Michaił Osorgin pisał, że jest to „bardzo dobra rodzajowa opowieść z życia emigracyjnego")[3]. Julij Ajchenwald stwierdził jednak, że treści *Maszeńki* nie wyczerpuje realistyczne, naśladujące rzeczywistość odtworzenie tej egzystencji[4]. Ajchenwald , a także Aleksandr Izgojew wskazywali na – istotnie wyraźnie podpowiadany przez powieść – związek obrazu Maszeńki z obrazem utraconej ojczyzny (Izgojew pisze wręcz, że Maszeńka „symbolizuje" w utworze Rosję)[5]. Wielu krytyków podkreślało oryginalność struktury powieści, bogaty język, kulturę literacką autora i liczne echa tradycji piśmiennictwa rosyjskiego, przy czym głównie przywoływano Iwana Turgieniewa (kiedy w styczniu 1926 r. autor przeczytał całą książkę na spotkaniu

---

[1] Informacje bibliograficzne według: M. Juliar, *Vladimir Nabokov: A Descriptive Bibliography*, New York 1986, s. 52–54, 563.

[2] G. Struwie [Struve], *Russkaja litieratura w izgnanii*, Paris 1984, s. 189.

[3] Mich. Os. (M. Osorgin), *op. cit.*, s. 31.

[4] J. Ajchenwald, [Recenzja *Maszeńki*]. „Rul" 1926, nr z 31 III, s. 2–3 oraz „Siegodnija" 1926, nr z 10 IV, s. 8. Cytaty z recenzji (w:) *Kłassik biez rietuszy*, s. 26–27.

[5] A. Izgojew, *op. cit.*, s. 28.

literackiego kręgu Ajchenwalda, ten zawołał z entuzjazmem: „Narodził się nowy Turgieniew")[1] oraz Iwana Bunina[2]. Konstantin Moczulski uważał nawet, że wielka kultura literacka młodego pisarza „przeszkadza mu odnaleźć swój własny styl"[3].

Jak się zdaje, Moczulski nie dostrzegł, że Nabokov nie jest swoją postacią, poetą Podtiaginem (nazwisko znaczące, mówiące, że ów poeta tylko *potiagiwał*, czyli „wtórował" klasykom ojczystego piśmiennictwa) i bynajmniej nie małpuje cudzych wzorów, a jedynie aluzyjnie je przywołuje. Istotnie można w powieści dostrzec obecność Turgieniewa (większość mieszkańców pensjonatu to turgieniewowscy *lisznije ludi* – „zbędni ludzie")[4] i – szczególnie na płaszczyźnie stylistycznej – Bunina. Sporo tu odniesień do Czechowa (Podtiagin, noszący zresztą imię autora *Wujaszka Wani*, oraz Klara to wyraźnie czechowowskie postaci, ta ostatnia wypowiada zresztą kwestie będące aluzją do replik z jego dramatów, Ałfierow, mąż Maszeńki, to odwołanie do innego „męża Maszy" – tak jest u Czechowa określony w spisie osób dramatu – Kułygina z *Trzech sióstr*, też prowincjonalnego nauczyciela, nazwisko właścicielki pensjonatu, Dorn, nosi jedna z postaci *Mewy*), ale również do nielubianego przez Nabokova Dostojewskiego,

---

[1] B. Boyd, *Vladimir Nabokov: The Russian Years*, s. 257.

[2] Notabene, Nabokov posłał Buninowi egzemplarz utworu z dedykacją: „Wielce szanowny i drogi Iwanie Aleksiejewiczu, radośnie mi i straszno, kiedy posyłam Panu moją pierwszą książkę. Proszę nie osądzać mnie zbyt surowo. Pański z całej duszy V. Nabokov. Berlin, V 26". Reprodukcja dedykacji w: M.D. Shrayer, *The World of Nabokov's Stories*, Austin 2000, s. 248. Wdowa po Buninie zaświadczyła w jednym z listów (z 14 I 1961), że jej mąż lubił *Maszeńkę*. *Pisma W.N. Buninoj N.P. Smirnowu*, red. N.P. Smirnow. „Nowyj mir" 1969, nr 3, s. 228.

[3] K. Moczulski, *Roman W. Sirina*. „Zwieno" 1926, nr 168. Cyt. za przedrukiem (w:) *Kłassik biez rietuszy*, s. 30.

[4] Trzeba oczywiście pamiętać, że pierwowzorem zbędnego człowieka jest Eugeniusz Oniegin i że do zbędnych ludzi należy również Lermontowowski Peczorin.

a także do *Małego biesa* Fiodora Sołoguba (w obu wypadkach literackie skojarzenia przywołuje postać Alfierowa). Imię Maszeńka też budzi wiele literackich reminiscencji, poczynając od Puszkina, na którego predylekcję do imienia Maria wskazywał Władisław Chodasiewicz[1], a kończąc na Nikołaju Gumilowie i jego bodaj najsłynniejszym utworze, poemacie *Tramwaj zbłąkany*. Mamy też w utworze do czynienia z motywami Błokowskimi[2]. To wszystko jednak nie są kalki cudzych pomysłów czy chwytów. Aleksandr Dolinin pisze jak najsłuszniej, że „tradycja nie tylko jest w powieści reprodukowana, ale staje się również przedmiotem refleksji; wychodząc od tradycji, Nabokov szuka sposobów jej odnowienia. (...) Już w pierwszej powieści (...) świadomie kładzie fundament nowej poetyki"[3].

Maszeńka wykorzystuje dużo materiału autobiograficznego. Można się o tym przekonać, porównując debiutancką powieść z którąkolwiek z wersji autobiografii Nabokova, gdzie opisuje on swój młodzieńczy romans, jak również miejsca, w których się rozgrywał. Jego ukochana nazwana jest tam Tamarą – ma to być „imię współbrzmiące kolorystycznie z prawdziwym"[4]. Naprawdę dziewczyna nazywała się Walentina Jewgienijewna Szulgina[5]. Lato 1915 roku spędzała w wynajętej daczy we wsi Rożdiestwieno. Miała

[1] W. Chodasiewicz, *Poeticzeskoje chozjajstwo Puszkina*, Leningrad 1924, s. 77–78.
[2] Na wspomniane wyżej aluzje literackie zwracają uwagę m.in. Aleksandr Dolinin i Maria Malikowa. A. Dolinin, *Istinnaja żyzń pisatiela Sirina: Pierwyje romany*. (w:) W. Nabokow, *Sobranije soczinienij russkogo pierioda w piati tomach*, t. II: *1926–1930*, Sankt-Pietierburg 1999, s. 10–14; M. Malikowa, *Primieczanija*, (w:) ibidem, s. 690–697.
[3] A. Dolinin, *op. cit.*, s. 11.
[4] V. Nabokov, *Pamięci, przemów!*, przeł. A. Kołyszko, Warszawa 2004, s. 195.
[5] Notabene, żona pisarza, Wiera Jewsiejewna Słonim, miała te same inicjały co jego młodzieńcza miłość, oczywiście pod warunkiem, że oba nazwiska zapiszemy alfabetem łacińskim. Na zbieżność tę zwróciła uwagę Stacy Schiff: *Véra (Mrs. Vladimir Nabokov)*, London 2000, s. 49.

wówczas piętnaście lat. Rok starszy Władimir poznał ją w sierpniu w sąsiadującym z Rożdiestwienem majątku ziemskim Wyra, gdzie znajdował się letni dom rodziny Nabokowów, i szybko się zakochał. Nazywał ją Lusią. „W ustroniach pośród łąk Wyry i Rożdiestwiena – pisze Brian Boyd – para odkryła rozkosze seksu"[1]. Romans trwał również po powrocie obojga do Petersburga i następnego lata znów w okolicach Wyry. Walentina pochodziła z rodziny należącej do drobnej burżuazji, toteż ewentualne małżeństwo, które – jak się zdaje – zakochany młodzieniec przynajmniej początkowo planował, mogłoby natrafić na przeszkody w postaci społecznych konwenansów, choć zapewne nie w rodzinie Nabokowów, gdzie konwenanse traktowano pogardliwie. Jego młodzieńcza poezja znalazła wreszcie odpowiednią dla siebie strawę uczuciową, pisał wiersze „do niej, dla niej, o niej, po kilka tygodniowo"[2]. Gdy drugie lato się skończyło, Władimir, wróciwszy do Petersburga, poczuł, że miłość się wyczerpała. Nawiązał nowe romanse. Raz jeszcze spotkał Lusię następnego lata w pociągu, potem nie widział jej już nigdy. Przebywając na Krymie, jeszcze wymienił z nią listy. Roiła mu się nawet romantyczna wyprawa po nią przez skąpaną we krwi Rosję, ale były to tylko rojenia. Wyjechał wraz z rodzicami i rodzeństwem na emigrację, a Walentina pozostała w kraju. Nigdy nie opuściła ZSRR, zmarła w Kiszyniowie w 1967 r.

W przedmowie do wersji angielskiej przyznał, że Maszeńka, ukochana Ganina, jest „siostrą-bliźniaczką" Tamary z jego autobiografii. Uważał nawet, że mimo wprowadzenia wymyślonych epizodów „mocniejszy ekstrakt osobistej rzeczywistości zawiera się w romantyzowanej

---

[1] B. Boyd, *Vladimir Nabokov: The Russian Years*, s. 112.
[2] V. Nabokov, *Pamięci, przemów!*, s. 202.

opowieści niż w rzetelnie wiernej faktom relacji", co tłumaczył tym, że po prostu, tworząc powieść, był pod względem czasowym znacznie bliżej opisywanych wydarzeń, niż kiedy pisał książkę o swym życiu[1]. Komentując obecność materiału autobiograficznego w *Maszeńce*, powiedział: „Dobrze znana skłonność początkującego pisarza do naruszania swej prywatności przez wprowadzanie do pierwszej powieści siebie samego albo jakiegoś swego zastępcy mniej zawdzięcza pokusie gotowego tematu niż uldze uwolnienia się od siebie przed wzięciem się do bardziej interesujących rzeczy. To jedna z bardzo niewielu powszechnych reguł, jakim się podporządkowałem"[2].

Już w *Maszeńce* pojawia się temat, który będzie u Nabokova powracał, w takiej czy innej postaci, w gruncie rzeczy we wszystkich utworach – temat dwu (lub więcej) światów. W tym wypadku są to z jednej strony świat „realny", świat, w którym bohater aktualnie żyje, który otacza go w czasie właściwej fabuły, świat emigracyjny, z drugiej zaś świat pamięci, świat wydarzeń sprzed rozpoczęcia akcji utworu, świat Rosji, przy czym ten drugi, niematerialny, jest piękniejszy, jak gdyby bardziej esencjonalny i lepszy. Przejaw nostalgii? Świadectwo tęsknoty za ojczystym „rajem utraconym" i jednocześnie za „rajem utraconym" lat chłopięcych? Tak, ale nie tylko to. Także przekonanie, że nasz świat, świat dotykalny i oczywisty, nie jest jedyny i nie jest najdoskonalszy. Że pamięć, która unieruchamia czas, a więc w pewnym sensie pozwala zapanować nad nim, pozwala go unieważnić i pozwala się od niego wyzwolić, zbliża nas do wyższych, doskonalszych form bytu. Dodajmy, że to pamięć odkrywa w życiu sens. W pewnym

---

[1] V. Nabokov, *Introduction*, s. 9–10.
[2] *Ibidem*, s. 9.

momencie bohaterowi powieści całe życie wydaje się kręceniem filmu, „podczas którego obojętny statysta ani wie, w jakim uczestniczy widowisku" (s. 29). Całość życia dostępna jest oczywiście jedynie z perspektywy śmierci, ale jego cząstki już wcześniej pamięć wyświetla nam jako sensowny film, widowisko, w którym role poszczególnych uczestników znajdują objaśnienie i układają się w logiczne ciągi. Zauważmy, że świat wspomnień jest niematerialny, duchowy. Już poczynając co najmniej od Platona, istnieje w myśli ludzkiej przekonanie, iż rzeczy cielesne są mniej doskonałe i mniej realne od duchowych. To jedynie byt duchowy istnieje obiektywnie i samoistnie. Rzeczy cielesne są jak cienie na ścianie słynnej Platońskiej jaskini.

Warto zauważyć, że w *Maszeńce* słowo „cień" powraca wielokrotnie i należy je wręcz uznać za słowo-klucz, a także za motyw przewodni powieści[1]. „Idąc na obiad, nie pomyślał o tym, że ci ludzie, cienie jego wygnańczego snu, będą rozmawiać o jego prawdziwym życiu – o Maszeńce" (s. 61)[2]. „Cień jego mieszkał w pensjonacie pani Dorn, on sam zaś był w Rosji" (s. 64). „Było to nie po prostu wspomnienie, ale życie o wiele bardziej rzeczywiste, bardziej «intensywne» – jak się pisze w gazetach – niż życie jego berlińskiego cienia" (s. 65). Podtiagin w pewnym momencie wydaje się bohaterowi „przypadkowym i niepotrzebnym cieniem" (s. 62). Czytamy też o cieniach „jego [Ganina – L.E.] berlińskiego życia" (s. 77) i tym, że bohater „sprzedawał własny cień" (s. 15)[3], czyli pracował jako statysta

---

[1] Stephen Jan Parker wymienia też inne takie motywy, m.in. podróż oraz film (kino). *Understanding Nabokov*, Columbia 1987, s. 31.

[2] Wszystkie cytaty z *Maszeńki* na podst. niniejszego wydania. Po cytacie w nawiasie podawany jest numer strony.

[3] Kryje się tu zapewne aluzja do utworu niemieckiego romantyka Adalberta von Chamisso *Peter Schlemihls wundersame Geschichte* (1814, Przedziwna historia Piotra Schlemihla), w którym bohater sprzedaje diabłu swój cień.

w filmach[1]. Ujrzawszy w kinie siebie samego, Ganin rozmyśla „o tym, że oto teraz jego cień będzie wędrował z miasta do miasta, z ekranu na ekran, że nigdy nie dowie się, jacy ludzie będą go oglądać i jak długo będzie się poniewierał po świecie", a potem w jego myśli pojawia się „ponury dom, w którym mieszkało siedem rosyjskich zatraconych cieni" (s. 29), czyli jego pensjonat. A więc życie emigranta[2] jest życiem cienia, widma, życiem w poczekalni kolejowej albo w wagonie: nie na darmo autor wprowadza motyw pociągów, które niemal przez całą dobę słychać w pensjonacie, przez co wydaje się, że „cały dom powoli dokądś jedzie" (s. 11). Ponadto emigracyjna rzeczywistość, sytuacja wygnańczego zawieszenia skłania do odwrócenia się od rzeczywistości i skierowania ku wspomnieniu i marzeniu. Jak powiada Julian Connolly, Nabokov sytuuje bohatera „w środowisku, gdzie marzenie, oddawanie się osobistym rojeniom jest normą, a nie wyjątkiem"[3]. Życie emigracyjne jest też czymś na kształt snu. Już Julij Ajchenwald zauważył, że pensjonat „nie sprawia wrażenia oryginału, jawy: zdaje się, jakby ludzie śnili się tu sami sobie"[4]. Czy jednak dotyczy to tylko życia w szczególnych warunkach, na emigracji, w oczekiwaniu zmian, które pozwoliłyby wrócić do domu i zacząć żyć naprawdę?

Jeżeli egzystencja Ganina w Berlinie jest snem, to jawą są jego wspomnienia. Lew Glebowicz tworzy cały świat

---

[1] Również Nabokovowi zdarzało się zarabiać na życie, statystując w filmach. Por. B. Boyd, *Vladimir Nabokov: The Russian Years*, s. 205, 239.

[2] Jak trafnie zauważa Aleksandr Dolinin, nazwisko, którym bohater posługuje się na emigracji (bo wiemy, że w przeciwieństwie do imienia nie jest to nazwisko prawdziwe, por. s. 82–83), Ganin, zawiera w sobie te same głoski, co słowo *izgnanije* („wygnanie") i *izgnannik* („wygnaniec"), a także co angielskie słowo *gone* w znaczeniu „miniony", „odeszły". A. Dolinin, *op. cit.*, s. 12 (przypis 2).

[3] J. Connolly, *Nabokov's Early Fiction: Patterns of Self and Other*, Cambridge 1992, s. 32.

[4] J. Ajchenwald, [Recenzja *Maszeńki*]. „Rul". Cyt. za: *Kłassik biez rietuszy*, s. 26.

wspomnień, a ściślej mówiąc, odtwarza świat dawny: „Był bóstwem odtwarzającym zaprzepaszczony świat. Stopniowo wskrzeszał świat dla kobiety, której nie śmiał do niego wprowadzić, dopóki nie będzie całkiem gotów" (s. 41). Zauważmy, że akcja powieści trwa sześć dni, siódmego bohater wyjeżdża. Ten fakt podkreśla sześć pokojów w pensjonacie pani Dorn, każdy z nich jest oznaczony kartką wydartą ze starego kalendarza. Odtwarzanie świata zajmuje więc tyle samo czasu, co jego biblijne stwarzanie. Bohater powieści jest bogiem (w oryginale użyte jest słowo *bog*, a w wersji angielskiej *god*, a więc „bóg", co prawda w obu wypadkach pisane z małej litery)[1] tworzącym świat, przypomina też konstruującego swój powieściowy świat pisarza. „Był to zdumiewający romans" – czytamy, gdy we wspomnieniach Ganin ma odezwać się po raz pierwszy do Maszeńki – „rozwijający się z prawdziwą i czułą ostrożnością". Użyte w rosyjskim oryginale słowo *roman*[2] jest dwuznaczne, oznaczać może nie tylko „romans", ale i „powieść".

Platon widział w sztuce coś bardzo niedoskonałego, gdyż uważał, że jej istotą jest naśladownictwo. Wobec czego sztuka musi zostać uznana za kopię kopii, bo naśladuje rzeczy materialne, które same są naśladownictwem idei; jest to więc naśladownictwo drugiego stopnia, naśladownictwo do kwadratu. Nabokov jednak daleki był od mimetycznej koncepcji sztuki. Bliższy wydaje się estetyce innego filozofa, który również mówił o ideach i rzeczach, Władimira Sołowjowa. Zdaniem owego myśliciela, który silnie oddziałał na pisarzy rosyjskiego Srebrnego Wieku, artysta bierze na siebie rolę „pośrednika między światem

---

[1] W. Nabokow, *Maszeńka*, (w:) *Sobranije soczinienij russkogo pierioda w piati tomach*, t. II, s. 69; V. Nabokov, *Mary*, s. 40.
[2] W. Nabokow, *Maszeńka*, s. 85.

wiecznych idei (...) a światem zjawisk zmysłowych"[1], a sztuka to obcowanie „ze światem wyższym poprzez wewnętrzną działalność twórczą"[2], wobec czego jest ona pokrewna mistyce[3].

Jak zauważa Jurij Lewin, w debiucie powieściowym Nabokova mamy do czynienia z trzema romansami bohatera z Maszeńką: realnym romansem w przedrewolucyjnej Rosji, romansem w listach w czasie wojny domowej i wreszcie romansem we wspomnieniach[4]. O jednym z nich czytamy w zakończeniu utworu: „te dni były, być może, najszczęśliwszym okresem w jego życiu" (s. 126). Stwierdzenie to nie dotyczy bynajmniej romansu realnego, tylko czterech dni intensywnego wspominania. To one, a nie czas będący treścią owych wspomnień, pretendują do miana najszczęśliwszych w życiu bohatera. A więc z tych trzech romansów najwspanialszy okazuje się romans rozwijający się w pamięci.

Charakterystyczne jest falowanie uczuć bohatera do Maszeńki. Kiedy Lew Glebowicz widzi ją po raz ostatni – jak pamiętamy, spotykają się przypadkiem, w pociągu (ona wkrótce wysiada, on jedzie dalej; można w tym widzieć antycypację przyszłości: jej pozostania na kilka lat w Rosji, jego wyjazdu na emigrację) – długo przygląda się z platformy wagonu jej odchodzącej sylwetce: „i im bardziej się oddalała, tym oczywistsze stawało się dla niego,

---

[1] W.S. Sołowjow, *Poezija gr. A.K. Tołstogo*, (w:) *Sobranije soczinienij*, Bruxelles 1966–1970, t. 7, s. 144. Cyt. za: J. Dobieszewski, *Włodzimierz Sołowjow. Studium osobowości filozoficznej*, Warszawa 2002, s. 317.

[2] W.S. Sołowjow, *Obszczij smysł iskusstwa*, (w:) *Sobranije soczinienij*, t. 1, s. 286.

[3] Por. A. Walicki, *Rosyjska filozofia i myśl społeczna od Oświecenia do marksizmu*, Warszawa 1973, s. 569.

[4] J. Lewin, *Zamietki o „Maszeńkie" W.W. Nabokowa*, (w:) *W.W. Nabokow: Pro et contra. Licznost' i tworczestwo Władimira Nabokowa w ocenkie russkich i zarubieżnych myslitielej i issledowatielej. Antołogija*, sost. B. Awierin, M. Malikowa, T. Smirnowa, Sankt-Pietierburg 1999, s. 365.

że nigdy nie przestał jej kochać" (s. 85). Jest więc tak, jakby to odległość wzmagała uczucie[1]. Potwierdza to fakt, że tuż po momencie największej bliskości, kiedy to Maszeńka mówi mu „Jestem twoja" (s. 83, inna sprawa, że do pełnego zbliżenia fizycznego nie dochodzi), bohater uznaje, „że wszystko skończone, że już nie kocha Maszeńki" (s. 83–84). Potwierdza to również fakt nasilenia się uczuć w okresie romansu korespondencyjnego: „Przez całe dnie po otrzymaniu listu pełen był rozedrganego szczęścia. Wydawało mu się niepojęte, że mógł rozstać się z Maszeńką" (s. 101–102). Wreszcie wielce znaczące wydaje się zaskakujące zakończenie powieści, kiedy Ganin, upiwszy wprzódy męża ukochanej i przestawiwszy wskazówki jego budzika, idzie na dworzec spotkać się z żywą Maszeńką, i nagle ze spotkania tego rezygnuje, uznając, że prócz jej wspomnieniowego obrazu innej Maszeńki „nie ma i nie może być" (s. 126), po czym samotnie wyjeżdża z Berlina. Ganin „wyczerpał swoje wspomnienie, nasycił się nim do ostatka" (s. 126). Rzeczywista obecność ukochanej okazuje się do niczego niepotrzebna. Marzenie (charakterystyczne, że bohater nie pamięta, kiedy ujrzał Maszeńkę po raz pierwszy: myślał o niej „na długo przedtem, nim ją zobaczył, stworzył sobie jedyne o niej wyobrażenie, i teraz, po wielu latach, wydawało mu się, że spotkanie, które mu się zwidywało, i spotkanie rzeczywiste zlewają się, niepostrzeżenie przemieniają jedno w drugie, żywa bowiem była tylko płynnym przedłużeniem zwiastującej ją postaci", s. 52) i wspomnienie są doskonalsze niż to, co realne.

Fizyczność zdaje się wszystko psuć. Staje się tak przecież nie tylko w wypadku romansu z Maszeńką, ale i trzy-

---

[1] Zwraca na to uwagę Julian Connolly, *op. cit.*, s. 36.

miesięcznej berlińskiej miłostki bohatera z Ludmiłą[1]. „Bardzo krótko trwało jego prawdziwe uniesienie, ów stan duszy, w którym widział Ludmiłę w obłoku czaru, stan poszukującego, wzniosłego, prawie nieziemskiego wzruszenia" (s. 26). Stan ów kończy się wraz ze zbliżeniem fizycznym. „Ludmiła oddała mu się i wszystko stało się od razu bardzo nudne" (s. 26). Kochanka budzi w nim wręcz odrazę („Wszystko w Ludmile było mu teraz wstrętne", s. 17). Cudem jest „nieziemskie wzruszenie", ziemska materialność nie może mu sprostać.

Wspomnienia są wedle Nabokova właśnie „nieziemskie" i „nieśmiertelne", tak przynajmniej wynika z wiersza *Wiesna* (Wiosna)[2] z roku 1925:

Z dala od zgiełku, burz wygnania
żyje treść mego wspominania
pośród nieziemskich jakichś cisz.
To, co nie wróci – nieśmiertelne[3].

Wspomnienie to byt jedynie duchowy, nieskażony materialnością, a więc – wedle koncepcji wywodzących się z platonizmu – doskonalszy. Rzeczywistość materialna to świat naszego wygnania, prawdziwą naszą ojczyzną jest świat idealny.

Takiemu odczytaniu pierwszej powieści Nabokova zdaje się częściowo przeczyć jej zakończenie. Przecież bohater budzi się jakby do prawdziwego życia, wszystko zdaje się wracać na swoje właściwe, czyli zgodne z powszechnymi odczuciami miejsca: „owo życie wspomnień, którymi żył Ganin, stawało się tym, czym było naprawdę – odległą

[1] O paralelności historii obu romansów wspomina Connolly, *ibidem*, s. 34–35.
[2] Liryk ten w związku z *Maszeńką* cytuje Aleksandr Dolinin: *op. cit.*, s. 12.
[3] W. Nabokow, *Wiesna*. „Rul" 1925, nr z 10 V. Cyt. za przedrukiem w: *Sobranije soczinienij russkogo pierioda w piati tomach*, t. I: *1918–1925*, Sankt-Pietierburg 1999, s. 566. Ciekawe, że wiersz zaczyna się od motywu pociągu.

przeszłością" (s. 125). Wizerunek Maszeńki – czytamy – pozostał „w domu cieni, który sam już stał się cieniem" (s. 126). A więc teraz cieniem są wspomnienia, a realności nabiera teraźniejszość. Co istotne dla analizy motywu cienia w powieści, to właśnie cienie stają się częścią mechanizmu przemiany bohatera. To cienie padają o poranku inaczej niż wieczorem, do którego Ganin jest przyzwyczajony, i tworzą „dziwne połączenia, niespodziewane dla oka", w rezultacie wszystko wydaje się „ustawione nie tak jak należy, nietrwałe, odwrócone niczym w lustrze" (s. 125). W miarę jak słońce się wznosi, cienie rozchodzą się na swoje zwykłe miejsca, w „trzeźwym świetle", wspomnienia blakną i wyzbywają się znaczenia, a ulica nabiera życia, „zatracając dziwny widmowy czar" (s. 125). Bohater czuje się zdrowy, silny i gotowy do każdej walki.

Na samym końcu jednak widzimy go w pociągu, jak zapada w drzemkę. Znajduje się więc w stanie, który wcześniej skojarzony był z bytowaniem „cieni" w emigracyjnym pensjonacie. Jak powiada Julian Connolly: „Chociaż ostatni rozdział przedstawił Ganina budzącego się do życia, końcowe zdanie powieści portretuje go zapadającego znów w sen, być może po to, by powrócił do stanu, w którym marzenia i fantazje mają więcej uroku niż świat zewnętrzny"[1].

Zakończenie jest otwarte, w czym zresztą zapewne wolno się domyślać świadomego zamiaru autora. Niewątpliwie dobrą stronę „przebudzenia" Ganina stanowi „odnowiona miłość" (s. 125), z jaką dostrzega on otaczające go rzeczy. Wspomnienie się wyczerpało, wyobraźnia bohatera, który dzięki swojej zdolności do niezwykle zmysłowego i wieloaspektowego ewokowania przeszłości, dzięki wraż-

---

[1] J. Connolly, *op. cit.*, s. 43.

liwości na detal i umiejętności „powieściowe
kowania wrażeń, ma pewne cechy artysty, potrzebuje
wej strawy[1]. Gdyby jednak zatryumfowało „trzeźwe światło" i jednostronne widzenie świata, Ganin mógłby stracić
całą swoją wyjątkowość, stając się podobny przyziemne-
mu i trywialnemu Ałfierowowi. Wtedy przemiana bohatera, ukazana jako pozytywny zwrot w jego życiu, okazałaby
się fałszywym tropem.

---

[1] I tu można by dostrzec paralelę autobiograficzną. Jak zauważa Dolinin (op. cit.,
s. 16), *Maszeńka* stanowi zwieńczenie i zakończenie pewnego etapu twórczości
Nabokova, etapu, który można by nazwać nostalgicznym.

rukowano na papierze
er Graphic 70 g/m²

www.arcticpaper.com

Warszawskie Wydawnictwo Literackie
MUZA SA
ul. Marszałkowska 8, 00-590 Warszawa
tel. (0-22) 827 77 21, 629 65 24
e-mail: info@muza.com.pl

Dział zamówień: (0-22) 628 63 60, 629 32 01
Księgarnia internetowa: www.muza.com.pl

Skład i łamanie: MAGRAF s.c., Bydgoszcz
Druk i oprawa: ABEDIK, Poznań